UN MUNDO DE ATENCIONES EN TU HOGAR **STANHOME**

Para una sazón
saludable,
un cuidado
inigualable

Nutrición a la carta
más que un recetario, es la puerta hacia un mundo saludable, un mundo de cuidados y atenciones para toda tu familia.

Consiste en un programa de 13 semanas que transformará radicalmente tu manera de COCINAR y de cuidar tu COCINA.

No esperes más, pasa a la siguiente página y entra a un mundo de

Limpieza que sabe a
CALOR DE HOGAR

COCINAR
sanamente

Aprenderás la mejor forma de
preparar alimentos saludables
en POCO TIEMPO y conocerás:

- La medida exacta de calorías para cada platillo.
- La cantidad adecuada de vitaminas y minerales que requiere tu dieta.
- Cómo conservar tus alimentos por más tiempo.
- Cómo planear correctamente tu despensa, ¡y no comprar en exceso!
- Los platillos ideales para comer fuera de casa.

Y además, al seguir
las indicaciones
de compra y preparación
de alimentos cuidarás
no sólo la nutrición
de tu familia, sino también
tu economía.
¡¡¡Compruébalo!!!

COCINA
SANA Y LIMPIA

Te diremos cuál es la mejor forma de
mantener limpia tu cocina con el
mínimo esfuerzo, en el menor tiempo
posible y con resultados insuperables,
a través de fórmulas y conceptos que
han trascendido de generación en
generación gracias a su alta calidad y
eficacia comprobada, cualidades que
sólo Degreaser te puede brindar.

Conoce Degreaser

Está enfocado en el cuidado de toda tu cocina, desde la estufa hasta los lugares donde guardas y conservas los alimentos, como el refrigerador y la alacena.

Olvídate del problema de limpiar el cochambre y la grasa que queda en tu cocina después de guisar, y además, libérate de las bacterias que estos provocan al estar durante mucho tiempo en aquellas áreas que comúnmente no se limpian. Éstos son algunos tips para limpiar tu cocina de manera más efectiva:

¿Dónde se concentra la grasa?	Solución
Platos, vasos y cubiertos	Utiliza Degreaser diluido
Ollas, cacerolas y sartenes	Utiliza Degreaser sin diluir
Utensilios de cocina	Utiliza Degreaser Classic
Parrillas de estufa	Utiliza Oven Cleaner
Horno de microondas	Utiliza Micro Wave
Hornos tradicionales	Utiliza Oven Cleaner
Refrigerador	Fridge Cleaner
Otras superficies	Utiliza Multisurface Cleaner

Puedes utilizar las Espirales Mágicas combinadas con todos los productos de la línea Degreaser

¿Dónde se localizan las bacterias?

Las bacterias son organismos que se reproducen rápidamente en ambientes húmedos o durante los cambios de temperatura, por lo que la cocina se convierte en un entorno propicio para su desarrollo, principalmente en:

- Refrigerador: El área de la cocina más importante y con mayor cantidad de bacterias
- Esponjas y fibras
- Tablas de picar
- Cacerolas
- Fregadero
- Microondas

STANHOME

DEGREASER
LIMPIADOR
Concentrado Quita Grasa

¡La solución más efectiva para mantener toda tu cocina libre de grasa, cochambre y bacterias!

Sabemos que a través de los TIPS
que encontrás en este libro y con
STANHOME de tu lado, cocinar será
un placer para todos tus sentidos.
¡BUEN PROVECHO!

STANHOME

Elsa de la Mazières

Nutrición
a la carta

• MARABOUT •

A todos los que consideran que mi vajilla es bonita y le hacen honor…
les ofrezco esta "cocinera de papel".

Índice

Introducción   7
Nutrición a la carta: programa   8
Un día equilibrado   10
Proporciones y medidas simplificadas   12
Algunas medidas simplificadas   14
Una cocina equipada: material indispensable   15
Comprar, guardar y conservar los productos   16
La despensa "ideal"   17

Nutrición a la carta
Semana 1   19
Semana 2   29
Semana 3   39
Semana 4   49
Semana 5   59
Semana 6   69
Semana 7   79
Semana 8   89
Semana 9   99
Semana 10   109
Semana 11   119
Semana 12   129
Semana 13   139

Tabla de calorías   149
Índice de recetas   156

introducción

INTRODUCCIÓN

TODOS (O CASI TODOS) HEMOS DESEADO ALGUNA VEZ EN LA VIDA SIMPLIFICAR LA PREPARACIÓN DE LAS COMIDAS, ADMINISTRAR MEJOR LAS COMPRAS Y APLICAR REGLAS DIETÉTICAS. DÍA A DÍA, A TRAVÉS DE LA ALIMENTACIÓN, OBTENEMOS LOS NUTRIENTES QUE CONSTRUYEN Y REPARAN LAS CÉLULAS. A CADA ALIMENTO CORRESPONDE UNA PIEZA DEL ROMPECABEZAS; LA CALIDAD DE LA ALIMENTACIÓN DEPENDE DE LA CALIDAD Y DEL ENSAMBLADO DE LAS PIEZAS. ESTE LIBRO AYUDARÁ AL LECTOR A ORGANIZAR MEJOR SUS COMIDAS Y A ALIMENTARSE SANAMENTE.

NUTRICIÓN A LA CARTA: PROGRAMA

El equilibrio dietético

Todas las recetas de este libro han sido probadas y degustadas; los menús propuestos a lo largo del trimestre corresponden a criterios de nutrición. El programa está concebido para regular su alimentación y perder peso lenta y regularmente. Cada día representa de 1 100 a 1 500 calorías (un día activo promedio normal es de 2 200 calorías para una mujer y 2 800 para un hombre que no tengan problemas de peso). El programa respeta el equilibrio alimenticio recomendado y aporta más de 20% de proteínas, un máximo de 25% de lípidos y de 50 a 55% de glúcidos al día por comida. También integra las vitaminas, las fibras y los oligoelementos necesarios para desempeñar nuestras actividades. El programa se adapta tanto a las mujeres como a los hombres y se ocupa de la organización de las comidas. Está diseñando para una persona; si desea ampliarlo,

basta multiplicar las porciones por el número de comensales.

Indicaciones

Este programa fue concebido para que lo utilice todo el mundo; no hay nada más sencillo. El *Menú del día* le informa sobre el conjunto de la comida para ese día.

Las *Recetas para la mañana, el mediodía y la noche* se explican en la misma página.

La *Delicia del día* consiste en postre, salsa o consejos, y corresponde ya sea a un elemento del menú del día o bien remite a otro menú.

La sección *No olvide...* permiten recordar los detalles y las preparaciones necesarias para el día siguiente que exigen un periodo de refrigeración o de reposo (marinadas, gelatina). También son una fuente de valiosos consejos sobre gastronomía y nutrición.

Con excepción de las especias y las infusiones, exentas de calorías, los *¡Además!* deben comprarse el mismo día, nunca por adelantado, si usted tiene el ánimo para ir a buscarlos. Los *¡Además!* no son indispensables, mucho menos obligatorios: el chocolate, el dulce, la galletita a la hora del té, la copa de vino con la comida, la cucharada de licor en el postre. ¡Son válidos si le apetecen! Esos *¡Además!* representan de 80 a 150 kcal de más no contabilizadas en la cuenta del día. A veces es muy importante saber complacerse y no ser tan rígido con usted mismo. Una cosa es segura, esos *¡Además!* no tienen sentido si no son de buena calidad: chocolates y dulces de confitería, galletas frescas de pastelerías con tradición, vinos de viñedos clasificados, etcétera

Cuándo comenzar

Ha llegado el momento de iniciar el programa: ya no hay nada o casi nada en la despensa, el frigorífico está vacío y también su cabeza. Sólo queda su determinación para cambiar el menú simplificándose la vida. Es un buen día, el que precede al primer día del libro, y deberá coincidir con el día de mercado. Los productos elegidos no podrán ser mejores.

A partir de ahora bastará respetar las *Siete etapas* previas al primer día del programa.

El programa consta de tres meses (es decir, trece semanas).

Siete etapas previas

■ Revise la "despensa ideal" y complétela.

■ Tome la lista de productos frescos y disfrute comprando y escogiendo ingredientes de calidad. Familiarícese con los comerciantes; si éstos conocen a los clientes, respetan sus deseos, aunque resulten sorprendentes: 15 fresas, 50 g de grosella, 1 trozo de rape de menos de 130 g, etcétera.

■ Compre hierbas para hacer infusiones diferentes cada semana, (*Lista de compras, infusión de hierbas*). Las propiedades de la infusión aparecen en esa semana con la indicación: *¡Además!*

■ Recuerde los pesos y las medidas de los alimentos que hay que comprar según su situación (cantidad de carne, de pescado, de verduras), los pesos que se especifican en el programa están pensados para una mujer activa o sedentaria.

■ No compre de más, ¡pero tampoco de menos!

■ Añada a la lista de compras los "antiantojos" propuestos en la introducción del programa.

■ Respete el plan todos los días y déjese guiar. No omita la indicación *No olvide...* que señala las etapas del día que no deben pasarse por alto.

Realización de las recetas en 4 etapas

■ Disponga todos los ingredientes necesarios para la receta y ordénelos según el plan de trabajo.

■ Cíñase a las cantidades para no aumentar el número de calorías del día y no omita ingredientes al final de la semana.

■ Tómese el tiempo necesario. La mitad del programa consiste en disfrutar del placer de cocinar. El acto de cocinar y diseñar sabores es el primer paso hacia otra perspectiva de la alimentación y ese tiempo que requieren los platos es una de las primicias de nuestra saciedad.

■ Prepare una hermosa vajilla, una fuente para la ensalada, un platón para el guiso, un platito para el queso o el postre, una canasta para el pan; disponga una bella mesa, siéntase a gusto y disfrute de una comida tranquila y relajante.

Conserve las buenas resoluciones

■ Romper la dieta no es grave; basta recuperar el ritmo a partir de la siguiente comida y no hacer un drama.

■ Las comidas fuera de casa: elija bien los alimentos, no coma más de lo que le apetece, no repita sistemáticamente los platos, no abuse del alcohol ni de los dulces. El *No olvide...* proporciona trucos para manejar mejor esos momentos. Esa comida fuera de casa debe ser un momento placentero, no un calvario so pretexto de faltar a su promesa. Las compras que se hicieron y no se consumieron podrán guardarse en el congelador tal como están o preparadas, o bien se integrarán en futuras comidas.

■ La comida que se omitió: si no tuvo ganas de comer o se le olvidó, la comida podrá esperar para la próxima. Por el contrario, no consuma dos comidas a la vez con la excusa de haber omitido alguna. Dietéticamente, es poco recomendable.

■ Los invitados: también descubrirán otros sabores, otros hábitos; sólo tiene que multiplicar por tantas personas como sea necesario las cantidades para una receta.

■ La mesa familiar: la regla es no preparar varios menús diferentes; pronto se convertiría en una labor desagradable. Pero para quienes no se preocupan por la línea o por su alimentación, proponga platos complementarios: ensaladas, pastas, arroz, papas, pan, queso, frutas y porciones más grandes.

Este libro comienza el día en que usted va de compras al mercado y cuando su "despensa ideal" esté lista.

UN DÍA EQUILIBRADO

Nociones sobre las proteínas, los lípidos y los glúcidos

Nutrición a la carta desea ayudarle a restablecer el equilibrio alimenticio en sus comidas, cuidando de variar los menús, de dar prioridad a los productos frescos, a la riqueza de sabores y al gusto, escogiendo bien las calorías que componen las comidas y respetando las reglas nutricionales para nuestras necesidades fisiológicas: proteínas, lípidos, glúcidos, vitaminas y oligoelementos. Es decir, "las reglas de nutrición".

¿Qué son los prótidos?

Los prótidos (o proteínas son constructores. Nuestras células nacen y mueren sin parar y utilizan para ello a las proteínas. Una proteína se compone de diversos aminoácidos, de los cuales una parte se encuentra en la alimentación.
1 g de proteínas = 4 calorías.
Se encuentran 15 g de proteínas por cada 100 g de alimento animal en promedio.
Se encuentran 1.5 g de proteínas por cada 100 g de alimento vegetal en promedio.
Las proteínas animales están en las carnes, las aves, los pescados, los mariscos, los huevos, los productos lácteos. Dejan desechos en el organismo (urea, ácido úrico) que se eliminan a través de los riñones. Es conveniente evitar el consumo excesivo de proteínas y tomar al menos 1.5 litros de agua al día para favorecer la eliminación de los desechos. Las proteínas vegetales están en los cereales, el pan, las verduras secas, la soya. Se necesita 1 g de proteína por cada kg de peso humano para lograr un equilibrio adecuado. Es deseable comer tanto proteínas animales como vegetales. Para cada comida: de 100 a 150 g de carne, pescado, o 2 huevos o 150 g de cereales mezclados con 200 g de verduras verdes y féculas serán

suficientes para satisfacer las necesidades del organismo.

¿Qué son los lípidos?

Los lípidos (o grasas) son supercombustibles, 1 g = 9 calorías.
Permiten combatir el frío y resultan indispensables para la actividad física. Son también útiles para el tránsito intestinal y la elasticidad de la piel. La grasa animal se encuentra en las carnes, los pescados, los productos lácteos y la mantequilla. A veces se digieren mal. La grasa vegetal está en los aceites y las margarinas. Algunas (aceite de girasol, aceite de maíz) contienen ácido linoleico, indispensable para el organismo. Es preferible consumirlas crudas. Una alimentación demasiado grasosa provoca un exceso calórico y, en consecuencia, un aumento de peso. Los cuerpos grasos suelen ser los principales causantes del sobrepeso, peor aún si se mezclan con azúcar, como sucede con las tablillas de chocolate. También conviene limitar los embutidos. Son alimentos muy ricos e inútiles en el marco de una alimentación controlada. Su consumo debería ser esporádico. De 5 a 10 g de cuerpos grasos al día bastan para nuestro consumo diario.

¿Qué son los glúcidos?

Los glúcidos (o carbohidratos) son proveedores de energía, 1 g = 4 calorías.
Durante la digestión se transforman poco a poco en glucosa (azúcar) que el organismo quema. Hay azúcares lentos o glúcidos lentos en los cereales, las verduras secas, las papas, el pan, las pastas, etc. El organismo los quema todo el tiempo y, en consecuencia, se transforman lentamente. Su asimilación es más progresiva y está mejor distribuida en el proceso de transformación. Si se abusa de ellos se conseguirá un aumento de peso. Los azúcares rápidos y los glúcidos rápidos se encuentran en los productos azucarados y en el azúcar refinada. El organismo los utiliza inmediatamente. Deben servir para el esfuerzo inmediato (deportes, trabajos de fuerza, etc.). Proporcionan una rápida sensación de hambre. Si el organismo

no tuvo que quemar los excedentes, los transforma en grasa. Esos azúcares tienen diferentes nombres en función de los alimentos en los que se encuentran:
Lactosa (en la leche).
Fructosa (en las frutas).
Glucosa (azúcar refinada y pastas).

¿Qué es una caloría?

Es la unidad que se emplea para medir la energía que nos aportan los alimentos. Las necesidades promedio para un día son las siguientes:
2 200 a 2 400 calorías para una mujer con una actividad promedio.
2 500 a 2 800 calorías para un hombre con una actividad promedio.
3 000 a 3 300 calorías para un trabajador manual.
Estas cifras no son reglas absolutas; puede suceder que con un consumo menor de calorías una persona engorde y otra adelgace. También hay que tener en cuenta la naturaleza de las calorías que se absorben: 1 caloría "chocolate" no es equivalente a 1 caloría "pescado", porque la asimilación no es la misma. Con frecuencia se trata de la cantidad de proteínas contenidas en lo que se consume, ya que es raro que un producto esté constituido por una sola clase de elementos (glúcidos, prótidos, lípidos). Para perder peso, hay que reducir el aporte de lípidos y de glúcidos en beneficio de las proteínas.
En el sistema internacional de medidas se habla de *kilojoules*: 1 cal = 4.18 kj.

Vitaminas

Vitamina A: brillo de la piel.
Vitamina B: tono muscular y nervioso.
Vitamina C: dinamismo y resistencia a los microbios.
Vitamina D: fijación del calcio.
Vitamina E: balance de las células.
Vitamina F: flexibilidad de la piel.
El caso del huevo: contiene vitaminas A, D, E y K, B2, B5, B8 y B12, proteínas, lípidos. Es uno de los alimentos más completos y mejor balanceados de nuestra alimentación (la yema es particularmente rica en lípidos, la clara está constituida por 90% de proteínas).

Minerales

Se encuentran en especial en algas y productos marinos.

Menús y días equilibrados

Un menú balanceado debe componerse de todos los elementos nutritivos:
De 15 a 25% de proteínas.
Menos de 30% de lípidos.
Como máximo, 55% de glúcidos (los azúcares, esencialmente lentos con un máximo de 10% de azúcares rápidos).
Para adelgazar es necesario modificar el balance favoreciendo las proteínas; aumentarlas hasta 30% en detrimento de los lípidos (-10%) y los glúcidos lentos (-5%), suprimir los azúcares rápidos.
Un día equilibrado debe comprender:
Un desayuno consistente.
3 comidas al día como mínimo.
Ocasionalmente, alimentos "por si acaso" (como flan de proteínas, yogures, queso blanco, vegetales crudos sazonados con limón a las 11 y a las 16 horas). Una buena costumbre que conviene adoptar: tome un tazón de caldo de verduras antes de cada comida y una infusión antes de acostarse.

Cómo dominar un ataque de hambre

Sucede con frecuencia durante el día: sobreviene el hambre, el cansancio o simplemente se tienen ganas de consentirse comiendo "algo". Todo el problema está en ese "algo". Saber manejar el antojo es casi siempre el último recurso, la tabla de salvación de las redondeces ante la "inflación". No se trata de ponerse de mal humor con el estómago hecho nudo. Un ataque de hambre se domina. Opte por alimentos ricos en proteínas y bajos en grasas y azúcar; proporcionan una sensación rápida de saciedad y no quedan ganas de comer más, como sucede con las golosinas y los alimentos que se proponen en el mercado (barras de chocolate, barras de cereales, dulces, pasteles, galletas, etc.). Azúcar llama a azúcar. Y a menos que se tenga mucha fuerza de voluntad y pueda detenerse después del primer mordisco de chocolate, el riesgo de comerse la barra entera está latente.

■ Beba agua: 1 de cada 2 veces, la sensación de hambre es en realidad una sensación de sed.

■ Tenga siempre en el frigorífico flanes de proteínas (receta 1.1) listos, yogures naturales, queso blanco, manzanas crujientes, huevos duros.

■ Para esperar una comida pacientemente, ponga en el frigorífico verduras crudas frescas (como ramitas de coliflor, tallos de apio, zanahorias, pedazos de pepino) para masticar... y entretener el hambre.

■ Y para un hambre verdaderamente feroz poco antes de pasar a la mesa, beba un buen tazón de caldo o una sopa de verduras muy ligera.

■ Para los trasnochados que necesitan una cuarta comida después de la media noche, conviene un yogur o 100 g de queso blanco y una manzana; o un batido aromatizado con frutas frescas; o un vaso de jugo de verduras sin azúcar y una porción de queso.

■ Aprenda a limitar la cantidad de sal en su alimentación. Las comidas con menos sal se digieren mejor y proporcionan una sensación de saciedad más rápida. No olvide nunca al cocinar que es más fácil añadir sal en la mesa que retirarla durante la cocción.

■ También encuentre el placer de la merienda y adopte la costumbre de regalarse una taza de té o una infusión a eso de las 16:30 horas acompañada de un flan de proteínas. Este tentempié permite esperar la cena sin ese apetito incontrolable.

Algunos "antiantojos": los ingredientes que los componen deben añadirse a la *Lista de compras de la semana*.

■ Para hacer unos 7 u 8 flanes de proteínas (uno diario), añada a su lista de compras (*Delicia del día* 1.1): 1 litro de leche, ● 6 huevos, ● azúcar edulcorante líquida para cocinar; ● vainilla en polvo u otro saborizante,

● proteínas en polvo de sabor neutro (de venta en farmacias) y ● azúcar edulcorante para cocinar (de venta en farmacias).

■ Para los adeptos al caldo o a la sopa por la noche, no olvide los cubos de caldo de verduras y prepare cada 2 o 3 días un litro (un litro de agua hirviendo y un cubo de caldo de verduras). Este caldo se conserva en el frigorífico en una botella de vidrio.

■ O añada a la lista de compras con qué preparar "un caldo ligero de verduras con pimiento" muy refrescante (receta 2.4): 2 zanahorias, ● 1 puerro (poro), ● 2 nabos, ● un pimiento verde, ● 1 cebolla y ● un litro de agua.

■ Ponga en el frigorífico, además de las compras de la semana y en cantidades razonables: yogures naturales (1 diario o 2 para quienes les gustan);
leche descremada en porciones de 1/2 litro (2 o 3 para la semana);
lechuga al gusto;
limones para aderezar la ensalada verde, y algunas manzanas crujientes adicionales (1 al día como máximo)

■ Para disponer correctamente de la vinagreta para las ensaladas verdes, prepare con anticipación 1/2 litro de salsa vinagreta ligera (receta 2.1). Esta salsa se conserva varias semanas en la despensa en un frasco bien cerrado. Sólo tiene que agitarla enérgicamente antes de diluir 1 o 2 cucharadas de salsa en 2 cucharadas de agua para aderezar la ensalada de la comida.
Todos estos ingredientes deben tenerse en cuenta en la lista de compras.

PROPORCIONES Y MEDIDAS SIMPLIFICADAS

La mayoría de las recetas mencionan porciones o partes y no pesos precisos. Es necesario recordar que el peso medio de los alimentos necesarios para equilibrar adecuadamente las comidas. Por lo general, en las listas de compra se mencionan cantidades y pesos; hay que respetarlos al máximo y aprender a medir las diferencias (como en el caso de las verduras).

Cereales

■ Pan blanco, pan integral; es decir, una porción (en los menús se proporciona la medida):
- para hombres: 60 g, es decir, una rebanada gruesa de 1.5 cm o 2 rebanadas delgadas
- para mujeres: 40 g, es decir, una rebanada gruesa de 1 cm o 2 rebanadas delgadas

■ Cereales crudos en grano: trigo, avena, maíz, mijo, cebada, sarraceno, centeno arroz, quinoa
- para hombres: 60 a 80 g, es decir, 5 a 7 cucharadas colmadas
- para mujeres: 50 a 60 g, es decir, 5 cucharadas colmadas

■ Cereales secos en hojuelas: granola (muesli), avena
- para hombres: 60 a 70 g
- para mujeres: 50 a 60 g

Soya

■ Germen
- para hombres: 60 a 80 g, es decir, 5 a 7 cucharadas colmadas
- para mujeres: 50 a 60 g, es decir, 5 cucharadas colmadas

■ Leche
- para hombres: 300 g, es decir, un vaso muy grande
- para mujeres: 220 g, es decir, un vaso grande

■ Tofu
- para hombres: 1 paquete de 150 a 170 g
- para mujeres: 1 paquete de 120 a 140 g

Lácteos

■ Leche
- para hombres: 300 g, un vaso muy grande
- para mujeres: 220 g, un vaso grande

■ Yogur y requesón
- para hombres: 150 a 200 g, (es decir, el equivalente de un frasco de 15 cm de diámetro
- para mujeres: 125 g, es decir, el equivalente de un frasco de yogur

■ Crema fresca
- para hombres: 2 cucharadas como máximo
- para mujeres: 1 cucharada como máximo

■ Queso tipo camembert, brie o de cabra,
- para hombres: 50 g para una porción
- para mujeres: 40 g para una porción

Tenga en cuenta que:
- 1 queso camembert 250 g = 6 porciones
- 1 queso munster 180 g = 4 porciones

■ Queso tipo gruyere, parmesano, manchego
- para hombres: 40 g para 1 porción
- para mujeres: 30 g para 1 porción

■ Huevos
- para hombres: 2 o 3 huevos grandes
- para mujeres: 2 huevos grandes

Pescados

■ Enteros
- para hombres: 250 a 280 g según la cantidad de espinas, cuente un margen de 40 g de desperdicio a la compra
- para mujeres: 180 a 210 g según la cantidad de espinas, cuente un margen de 40 g de desperdicio a la compra

■ En trozo o en rebanada
- para hombres: 250 a 280 g según el grueso de la espina dorsal
- para mujeres: 180 a 210 g según el grueso de la espina dorsal

■ En filete
- para hombres: 180 a 210 g
- para mujeres: 130 a 170 g

Mientras más graso se considere el pescado, más razonable habrá que ser respecto de la cantidad

Pescados grasos: salmón, atún.

Pescados medianamente grasos: arenque, rape, lija, salmonete.

Pescados poco grasos: bacalao fresco, besugo, pescadilla.

Los pescados más grasos siempre son menos grasos que la carne más seca, excepto los pescados ahumados (como la trucha, el arenque o el salmón ahumados).

■ Crustáceos frescos:
- para hombres: mejillones: 1.6 kg; ostras: 15 piezas; otros: 15 piezas
- para mujeres: mejillones: 1.2 kg; ostras: 12 piezas; otros: 15 piezas

■ Vieiras y almejas
- para hombres: 12 piezas
- para mujeres: 8 piezas
■ Crustáceos en conserva:
- para hombres: 120 g
- para mujeres: 100 g
Los crustáceos son ricos en minerales.

Carnes

■ Sin hueso (en bistec o filete)
- para hombres: 160 a 190 g
- para mujeres: 120 a 140 g
■ Con hueso (costilla, costillar)
- para hombres: 190 a 210 g
- para mujeres: 130 a 150 g
■ En trozos
- para hombres: 160 a 180 g
- para mujeres: 120 a 140 g
■ Jamón cocido
- para hombres: 120 g
- para mujeres: 100 g
■ Jamón crudo:
- para hombres: 100 g
- para mujeres: 80 g

Verduras

■ Fécula, papas, chícharos, alubias frescas
- para hombres: 250 a 280 g, es decir, 3 papas grandes o 5 pequeñas
- para mujeres: 200 a 220 g, es decir, 2 papas medianas o 4 pequeñas
■ Leguminosas: lentejas, habas, chícharos secos (arvejas)
- para hombres: 80 a 90 g, es decir, 6 a 8 cucharadas colmadas
- para mujeres: 60 a 80 g, es decir, 5 a 6 cucharadas colmadas
■ Verduras frescas: ejotes (chauchas), col (repollo), endivias, puerro (poro)
- para un hombre: 300 a 350 g
- para una mujer: 200 a 250 g
Verduras en la comida (para las macedonias y las diversas combinaciones, remitirse a las recetas): no se reprima, comer muchas verduras cocidas al vapor nunca es grave en el marco de una dieta.

Frutas

■ Frutas frescas
- para un hombre: 150 a 200 g como máximo
- para una mujer: 120 a 180 g como máximo
■ Frutas secas
- para un hombre: 40 g
- para una mujer: 30 g
■ Ensalada no aderezada o rociada con jugo de limón
Al gusto, sin restricción alguna.

ALGUNAS MEDIDAS SIMPLIFICADAS

■ 1 cucharada sopera de aceite, de vinagre, de líquido en general: 6 g
1 cucharada cafetera de aceite, de vinagre, de líquido en general: 3 g
■ 1 cucharada sopera de hojuelas ligeras (avena, papas, *corn flakes*): 4 g
1 cucharada cafetera de hojuelas ligeras (avena, papas, *corn flakes*): 2.5 g
■ 1 cucharada sopera de granos (granola sin azúcar, arroz, trigo, sémola, sarraceno, lentejas): 8 g
1 cucharada cafetera de granos (granola sin azúcar, arroz, trigo, sémola, sarraceno, lentejas): 8 g
■ 1 cucharada sopera de pasta: 8 g
1 cucharada cafetera de pasta: 4 g
■ 1 cucharada sopera rasa de mantequilla, crema fresca, pasta húmeda: 10 g
1 cucharada cafetera rasa de mantequilla, crema, pasta húmeda: 5 g
■ 1 cucharada sopera de especias y hierbas aromáticas secas: 2 g
1 cucharada cafetera de especias y hierbas aromáticas secas: 1 g
1/2 cucharada cafetera rasa de especias y hierbas aromáticas: 0.5 g
1 pizca de especias y hierbas aromáticas secas: 0.1 g
1 punta (se refiere a la punta de un cuchillo puntiagudo) de especias y hierbas aromáticas secas: 0.05 g
■ 1 cucharada sopera de hierbas frescas: 5 g
1 cucharada cafetera de hierbas frescas: 2.5 g
1 punta de hierbas frescas: 1 g

Recuerde: para los líquidos

1 litro = 1 kg
1 dl (decilitro) = 100 g
1 cl (centilitro) = 10 g
1 ml (mililitro) = 1 g

UNA COCINA EQUIPADA: MATERIAL INDISPENSABLE

Tiene que reorganizar su cocina. Primero, para no sentir tentaciones, hay que guardar los alimentos en las despensas, recoger los platos, no poner las pastas o el arroz en recipientes transparentes, no dejar la canasta de las frutas sobre la mesa. Evite colocar todos los quesos en el mismo plato a la hora de la comida. Otra cosa: con frecuencia, los platos no están adaptados a la cocina sin grasa y son demasiado grandes para una persona.

Elementos básicos
Una cazuela de hierro, con tapa, de 20 cm de diámetro
1 vaporera pequeña (3 litros), con canastilla rígida
2 sartenes con antiadherente, de 20 y 30 cm de diámetro
2 cacerolas con antiadherente, de 15 y 40 cm de diámetro
Cucharas de madera
1 escurridor de verduras (colador)
1 ensaladera grande para mezclar las preparaciones
1 recipiente para marinar
1 plato para gratinar para 1 persona
1 recipiente grande para cocer en baño María en el horno
1 molde refractario para cocer pescados al vapor
1 molde para tarta, de 19 cm de diámetro
1 molde para *soufflé*, de 12 cm de diámetro

10 cuencos de 8 cm de diámetro (especialmente para los flanes de proteínas)
1 mortero pequeño para moler las hierbas aromáticas y las especias
1 pincel para "barnizar ligeramente" los platos
1 cuchillo mondador

Para preparar los alimentos
1 licuadora
1 exprimidor de cítricos
1 procesador de alimentos (rallador, licuadora, rebanadora)
1 batidora de mano (para las sopas, las malteadas y las salsas)
1 agitador para la salsa de la ensalada (prepare por adelantado)
Palitos para brochetas

Para calcular fácilmente las proporciones
1 taza graduada para medir
1 vaso de 15 cl = 1 vasito
1 vaso de 33 cl = 1 vaso
1 vaso de 50 cl = 1 vaso grande
1 cuchara de postre ligeramente rasa = 1 cucharada cafetera
1 cuchara sopera ligeramente rasa = 1 cucharada sopera
1 báscula de precisión

Para prepare los alimentos en papillotes (empapelados)
1 rollo de papel aluminio
Hilo de cocina

Para secar los alimentos (como el pescado o los champiñones)
1 rollo de papel absorbente

Para la mesa
Una vajilla de platos pequeños. Mientras más grande sea el plato, mayor será la tentación de volver a servirse para sentirse satisfecho.

COMPRAR, GUARDAR Y CONSERVAR LOS PRODUCTOS

■ Cierre bien los envases después de utilizarlos.

■ Conserve los productos lejos de la luz directa.

■ Tómese el tiempo suficiente para elegir productos frescos, de calidad. Deben estar en buen estado para conservarse en el frigorífico durante la semana.

■ Compre la cantidad necesaria, pero no más.

■ No encime los alimentos en el frigorífico; distribúyalos bien.

■ El pan se conserva sin problemas si se mantiene bien envuelto en un paño de cocina limpio, o guardándolo en una caja para pan o en una caja de cartón (es necesario que el aire circule moderadamente dentro de la caja).

■ Las hierbas frescas (como el perejil, el estragón o la albahaca) se conservan como las flores, en un jarrón con agua fresca que debe cambiarse todos los días. Coloque el jarrón en un lugar donde no haya mucha luz para evitar que las hierbas florezcan o que produzcan semillas, lo que ocasionará que pierdan todo su sabor.

■ Las verduras y las frutas se echan a perder si se golpean, se magullan o se humedecen. Para conservarlas, prepare un cajón bien seco en el frigorífico y envuelva las verduras y las frutas en pedazos de papel absorbente o paños limpios (que deben cambiarse cada semana).

■ Las verduras de hoja verde se conservan muy bien en una caja que no sea hermética, sin encimarlas, lavadas y perfectamente centrifugadas.

■ Los quesos se conservan en la parte inferior del frigorífico o en el compartimiento de la puerta, envueltos en el papel o plástico original que traen cuando se compran en trozo, o en papel de aluminio.

■ Los pescados y las carnes se compran en el transcurso de la semana; si no es posible, escoja productos congelados o que puedan congelarse varios días. Nunca los deje más de 2 días en el frigorífico, o más de 3 meses en el congelador.

■ Las verduras y las frutas ya empezadas se conservan muy bien en el frigorífico si la parte cortada se cubre con papel de aluminio o papel absorbente.

■ Las frutas frágiles (como las fresas, las bayas o las grosellas) se conservan varios días en la parte inferior del frigorífico si están secas y se colocan en una caja de cartón sin cerrar.

■ Las hierbas aromáticas se conservan también envueltas por separado en papel de aluminio en el frigorífico. Séquelas bien antes de guardarlas.

■ Los limones se conservan muy bien en una ensaladera grande sumergidos en agua fresca que debe cambiarse todos los días.

■ Evite dejar los productos frescos envueltos en plástico.

■ Las compotas y mermeladas caseras se conservan en el frigorífico en frascos de vidrio cerrados.

■ En el caso del vino embotellado, suma bien el corcho para que el vino no se evapore hasta la siguiente receta.

■ La cerveza y la sidra se conservan sin evaporarse en el frigorífico si las botellas ya abiertas se vuelven a cerrar bien y se ponen boca abajo.

■ Los productos conservados en salmuera (como los champiñones, los pepinillos, las alcaparras, las aceitunas verdes y negras) siempre deben estar cubiertos con la salmuera.

■ El concentrado de tomate se conserva bien si, después de utilizarlo, se cubre con una película de aceite. Guárdelo en el frigorífico.

■ La mostaza se conserva fresca colocando una rodaja de limón en la parte de arriba del envase antes de ponerla en el frigorífico.

Para conservar la yema de huevo, colóquela en una copa y cúbrala con agua fría. Se mantiene bien varios días en espera de su utilización.

■ Las frutas se conservan muy bien envueltas en bolsitas de papel, en frascos de vidrio lejos de la luz.

LA DESPENSA "IDEAL"

Los siguientes productos deben estar disponibles permanentemente en la cocina.

Bebidas alcohólicas
Aguardiente
Alcohol de frutas neutro
Anís
Cerveza clara
Cointreau
Coñac
Crema de grosella (casis) y/o crema de moras
Grand Marnier
Jarabe de anís
Jarabe de granadina
Jerez
Kirsch
Licor de grosella
Madeira
Oporto
Ron
Sidra
Vermouth
Vino blanco para cocinar
Vino tinto para cocinar
Vodka

Especias
Achicoria en polvo o en granos
Ajedrea seca picada
Ajo seco en polvo
Albahaca seca picada
Alcaravea carvi
Alcaravea negra en grano
Anís en polvo
Anís de estrella o badiana
Azafrán
Baya de enebro
Canela en polvo y en rama
Cardamomo
Cebollín seco en polvo
Chile en polvo
Cilantro seco y en polvo
Cinco especias
Clavo de olor entero y en polvo
Comino entero

Curry
Enebro
Eneldo en semillas
Eneldo seco
Estragón seco en polvo
Harissa
Hinojo en semillas
Jengibre confitado
Jengibre en polvo
Laurel en hojas
Mejorana seca en polvo
Melisa
Nuez moscada
Orégano seco en polvo
Perejil seco en polvo
Perifollo seco en polvo
Pimentón (paprika)
Pimiento en puré envasado
Pimpinela
Pimienta entera
Pimienta molida
Pimienta verde entera
Rábano picante en puré (raíz fuerte)
Raíz de chirivía o pastinaca
Ramilletes de hierbas aromáticas en bolsitas individuales
Romero seco
Sal de apio
Salvia seca picada
Serpol
Tomillo seco
Toronjil
Vainilla en vaina
Vainilla en polvo

Conservas
Alcaparras
Alubias
Chutney de mango
Concentrado de tomate
Filetes de anchoas
Leche concentrada no azucarada
Pepinillos
Salsa de tomate natural
Tomates pelados

Comestibles
Aceite
Aceite de oliva

Aceitunas negras
Aceitunas verdes
Albaricoques secos
Algas iziki y/o hijiki y/o arame
Almendras enteras
Almendras fileteadas
Almendras molidas
Arroz blanco
Arroz integral
Arroz salvaje
Arroz inflado con azúcar
Avellanas enteras
Azahar
Azúcar edulcorante en polvo
Azúcar mascabado en polvo
Bicarbonato de sodio
Pan tostado
Cacao sin azúcar
Café
Café instantáneo
Caldo de ave preparado en polvo
Caldo de ternera preparado en polvo
Caldo corto en cubos o en bolsas individuales
Caldo de verduras en cubos
Canelones
Cebada perla
Cereal All-Bran
Cereales comerciales en bolsas
Champiñones negros secos
Ciruelas
Coco rallado
Corn Flakes
Dátiles secos
Flor de naranjo
Gelatina en láminas de 2 g
Gelatina de Madeira en bolsas
Germen de trigo
Harina blanca
Harina integral
Hojuelas de avena
Jarabe de arce (miel de maple)
Frijoles rojos secos

Leche descremada en polvo
Lentejas secas
Maicena
Mantequilla de cacahuate
Miel líquida
Mijo
Mostaza
Granola sin azúcar
Nuez pelada
Pan para moler
Papas en hojuelas
Pasta caracol
Pasta de moñitos
Pasta en espagueti
Pasta en tallarines
Pilpil
Piñones
Sal refinada
Sal gruesa
Salvado de trigo en polvo
Semillas de ajonjolí tostadas
Sémola de trigo
Tapioca
Té negro
Té con bergamota
Té de jazmín
Tila en bolsitas para infusión
Trigo entero
Trigo sarraceno listo para cocinar
Trigo tierno en grano
Uvas pasas claras
Verbena en bolsitas para infusión
Vinagre
Vinagre de sidra
Vinagre de Módena

Farmacia
Azúcar edulcorante líquida
Cuajo
Sucaryl

Salsas
Catsup
Nuoc-mam
Salsa de soya
Salsa Worcestershire
Tabasco
Viandox

LISTA DE COMPRAS DE LA SEMANA I

Comestibles
I lata de atún natural (100 g)
9 huevos

Panadería
I pan integral

Bebidas
¡No olvide el agua!
I botella de buen vino blanco de mesa
I jugo de manzana (200 g) sin azúcar
I jugo de uva (200 g) sin azúcar
I jugo de tomate (200 g) sin azúcar

Hierbas aromáticas frescas
Perifollo • Albahaca • Salvia • Estragón

Infusión de hierbas
Regaliz o badiana (anís de estrella)

Verduras
I manojo de perejil fresco
2 papas frescas
9 tomates frescos
6 espárragos
3 berenjenas pequeñas
I cabeza de ajo
I zanahoria grande
2 champiñones grandes
2 champiñones medianos
I manojito de berro
2 bulbos de hinojo
200 g de ejotes
3 cebollas amarillas
2 cebollas blancas
I pimiento
I manojo de rábanos

Frutas
10 fresas
150 g de frambuesas
50 g de grosellas
I toronja
2 naranjas
2 duraznos
2 peras
I manzana
2 nectarinas
2 albaricoques
50 g de grosellas (casis)
45 cerezas
6 limones
I limón amargo
2 higos frescos
4 ciruelas

Lácteos
125 g de mantequilla
I queso camembert
I queso de cabra fresco chico (80 g)
250 g de queso blanco
I bote chico de crema (50 g)
120 g de queso gruyer (o de Tome aligerado)
2 litros de leche descremada
4 yogures naturales
2 yogures búlgaros
Queso parmesano rallado (40 g)

Carnicería
Compre la carne y el pescado según se vaya necesitando, la víspera de que se consuma.

PRIMER DÍA
Costillar o paletilla de cerdo asada (unos 120 g)

TERCER DÍA
I rebanada de jamón blanco (unos 100 g)

CUARTO DÍA
140 g de riñones de res

I rebanada fina de jamón blanco de 80 g

SEXTO DÍA
2 codornices

SÉPTIMO DÍA
140 g de lomo de conejo

Pescadería

PRIMER DÍA
I buen salmonete (limpio)

SEGUNDO DÍA
140 g de filete de bacalao fresco

TERCER DÍA
6 sardinas frescas

QUINTO DÍA
120 a 150 g de lija

Varios
■ Prepare 2 litros de caldo de verduras para las noches de la semana.
Prevea 4 lechugas frescas como acompañamiento de las comidas de la semana.
■ No olvide llenar el frigorífico con "antiantojos".
■ Verifique que no falte nada en la "despensa ideal".

SEMANA I

MENÚ DE LA MAÑANA

■ Café o té sin azúcar
■ Rebanada de pan, queso de cabra fresco y pera*
■ I vaso de leche descremada aromatizada con 1/2 cda. de vainilla en polvo

*Receta: I porción de queso de cabra fresco ● I porción de pan integral (2 rebanadas delgadas) ● I pera

Ponga sobre las rebanadas de pan láminas finas de queso de cabra. Añada gajos delgados de pera sin cáscara.

MENÚ DEL MEDIODÍA

■ Cerdo asado con berenjena*
■ Lechuga con vinagreta ligera
■ I porción de pan integral
■ 1/2 toronja
■ Café o té sin azúcar

*Receta: I costillar o paletilla de cerdo ● I berenjena ● I tomate ● I diente de ajo ● I cdta. de queso parmesano ● I cdta. de aceite ● I pizca de tomillo ● perejil fresco picado ● I pizca de laurel picado ● Sal y pimienta

Pele y corte la berenjena en rebanadas finas (1/2 cm de grueso) a lo largo. Pique el tomate con el ajo y las hierbas. Salpimiente. Dore las rebanadas de berenjena en una sartén con revestimiento antiadherente untada con aceite de oliva. Reserve. En la misma sartén, caliente el puré de tomate 10 minutos. Reserve. Ase el cerdo en la misma sartén. En un molde para horno, ponga la mitad del puré de tomate, la mitad de las berenjenas, la carne, el resto de las berenjenas, el resto del puré de tomate, espolvoree con perejil fresco picado y queso parmesano. Hornee 15 minutos (temperatura entre 220 y 260 °C).

MENÚ DE LA NOCHE

■ I tazón de caldo de verduras
■ Lechuga con limón
■ Salmonete con hinojo*
■ I porción de pan integral
■ I porción de queso camembert
■ Infusión

DÍA I

*Receta: I salmonete limpio ● 1/2 limón ● I cebolla blanca ● las hojas verdes de I cabeza de hinojo ● I bulbo de hinojo ● I pizca de semillas de hinojo ● I pan tostado ● I cdta. de aceite de oliva ● Sal y pimienta

Salpimiente el salmonete. Pique grueso la cebolla y el hinojo (incluidas las hojas). En un molde para horno untado con aceite de oliva, distribuya la cebolla y el hinojo, coloque el pescado enjuagado; encima, salpimiente, espolvoree con pan molido (deshacer el pan tostado), añada 20 cucharadas de agua. Cubra con papel de aluminio o una tapa lo suficientemente grande y meta en el horno 20 minutos (220 a 240 °C). Rocíe con jugo de limón y salpimiente; espolvoree con semillas de hinojo al sacarlo del horno.

¡Además!
Al mediodía, consiéntase con una copa de vino blanco a temperatura ambiente para acompañar el salmonete.

No olvide...
Prepare la bavaresa para mañana al mediodía.

Balance del día
Alrededor de I 400 calorías
25% de proteínas
20% de lípidos
55% de glúcidos

DELICIA DEL DÍA

Flanes ligeros

Receta: I litro de leche descremada ● 6 huevos ● I cdta. de aroma al gusto, ya sea en polvo o en líquido ● 15 cdas. rasas de proteínas en polvo ● 4 cdtas. de azúcar edulcorante líquida resistente al calor (elegir un aroma): café, chocolate, vainilla... ● Crema de grosella (casis) o de frambuesas, jugo de manzana...

Mezcle todos los ingredientes en frío con un batidor en una ensaladera grande. Llene de 8 a 10 cuencos. Ponga en el horno en baño María 45 minutos (a 180 °C). Conservación: 5 a 6 días en el frigorífico en la parte más fría.

Los platillos que aparecen en color rosa con un asterisco incluyen la receta detallada.

SEMANA I

MENÚ DE LA MAÑANA

- Café o té sin azúcar
- Pan tostado, miel y manzana*
- I yogur natural

*Receta: 2 panes tostados ● I cda. de miel ● I manzana

Ralle grueso la manzana pelada y extienda la compota cruda sobre los panes tostados previamente untados con miel.

MENÚ DEL MEDIODÍA

- Bacalao fresco marinado en leche*
- Lechuga, salsa de eneldo (receta 1.4)
- I porción de pan integral
- Bavaresa de cereza (delicia del día)
- Café o té sin azúcar

*Receta: I filete de bacalao fresco ● I cebolla ● I zanahoria ● I pizca de tomillo ● laurel ● perejil fresco picado ● 2 granos de pimienta ● I vasito de leche descremada

Distribuya en el fondo de un refractario la zanahoria y las cebollas cortadas en rodajas muy finas, o bien ralladas. Espolvoree con tomillo y laurel picado y añada los granos de pimienta enteros. Ponga el pescado y bañe con la leche. Marine alrededor de 3 horas. Dé vuelta al pescado en el molde, sale ligeramente y coloque en el horno 20 minutos (200 a 240 °C); el pescado debe absorber toda la leche; báñelo con su jugo 2 o 3 veces mientras se hornea.

MENÚ DE LA NOCHE

- Un tazón de caldo de verduras
- Lechuga con limón
- Espárragos a la vinagreta*
- I porción de pan integral
- I porción de queso Tome aligerado (o queso gruyer)
- Infusión

*Receta: 6 espárragos ● 5 a 6 cdas. de vinagreta ligera (receta 2.1.) ● 2 huevos ● perejil fresco picado

DÍA 2

Cocine los huevos hasta que estén duros y córtelos en 2. Cueza los espárragos al vapor (10 minutos). Prepare la vinagreta. En un plato, ponga los espárragos escurridos, las mitades de huevo duro, rocíe con la vinagreta y espolvoree generosamente con perejil fresco picado.

¡Además!

- Para la gula, puede servir la bavaresa de cereza bañada con I cda. de crema de grosella (casis).
- Una especia: las bayas de enebro

Esas bayas azulosas muy perfumadas sirven para preparar bebidas tónicas, aromatizar los guisos, y son elementos indispensables del chucrut. Esta especia realza agradablemente una marinada para las carnes y pescados.

No olvide...

El bacalao fresco del mediodía se marina por la mañana. Prepárelo después del desayuno y déjelo reposar hasta el mediodía.

Balance del día
Alrededor de I 400 kcal
20% de proteínas
30% de lípidos
50% de glúcidos

DELICIA DEL DÍA

Bavaresa de cereza

Receta: I5 cerezas ● 3 cdas. de leche descremada en polvo ● 3 hojas de gelatina ● azúcar edulcorante en polvo

Reduzca las cerezas a puré después de haberlas deshuesado, añada la leche diluida en 10 cl de agua y endulce al gusto con azúcar edulcorante (aproximadamente I cdta. rasa). Para obtener una mezcla muy tersa, mezcle los ingredientes con la batidora. Remoje las hojas de gelatina en agua fría para ablandarlas y luego derrítalas en una cacerola a fuego lento unos minutos con 3 o 4 cdas. de agua; revuelva constantemente. Agregue a la mezcla. Ponga en un molde en el frigorífico una noche.

SEMANA I

MENÚ DE LA MAÑANA

- Café o té sin azúcar
- Tapioca con leche*
- I naranja

*Receta: 30 g de tapioca ● I vaso de leche descremada ● Azúcar edulcorante en polvo ● 2 cdas. de uvas pasas claras

Remoje las uvas pasas en un tazón de té hirviendo para que se ablanden y se inflen; escúrralas. Cueza la tapioca en la leche a fuego muy lento revolviendo constantemente. Añada las uvas pasas a media cocción; endulce al gusto con azúcar edulcorante al finalizar la cocción.

MENÚ DEL MEDIODÍA

- I porción de pan integral
- I tomate sazonado con unas gotas de limón y I pizca de sal
- Filetes de sardinas crudas*
- Lechuga con salsa vinagreta ligera
- Café o té sin azúcar

*Receta: 6 sardinas frescas ● I cdta. de aceite ● I limón amargo ● 3 granos de pimienta ● 2 hojas de albahaca ● I hoja de salvia picada ● perejil fresco picado

Corte los filetes de sardinas enjuagados con abundante agua; retíreles la piel, las cabezas y las espinas (corte la sardina en 2 a lo largo). Extienda los filetes en un molde o un plato hondo. Prepare una marinada con el aceite, la pimienta machacada, la albahaca, la salvia y el jugo de limón. Sale y vierta sobre los filetes. Ponga a enfriar 30 minutos. Espolvoree con perejil fresco picado.

MENÚ DE LA NOCHE

- I tazón de caldo de verduras
- Lechuga con limón
- Brocheta de verduras*
- I rebanada de jamón blanco
- I porción de pan integral
- I yogur
- Infusión

DÍA 3

*Receta: 3 tomates ● 2 champiñones grandes ● I berenjena ● I cebolla grande ● 3 cdas. de salvia picada ● 3 cdas. de estragón picado ● I pizca de sal y de pimienta ● I chorrito de aceite (I cdta. máximo)

Corte las verduras en rebanadas de I cm y ensártelas alternadamente en palillos para brochetas. Espolvoree con la mezcla de hierbas por todas partes, salpimiente. Rocíe con un chorrito de aceite. Ponga en la parrilla del horno caliente, cocine 10 minutos y voltéelas. Comience de nuevo la operación hasta obtener el grado de cocción deseado. Deben quedar un poco crujientes. Pueden rociarse las verduras con jugo de limón al momento de servir.

¡Además!
Consiéntase con un trozo de chocolate excepcional.

No olvide...
"Unte con aceite": tome un pedazo de papel absorbente e imprégnelo bien de aceite. Unte el fondo y los costados del molde generosamente. ¡Ni una gota de aceite de más en el molde y todas las ventajas!

Balance del día
Alrededor de I 400 kcal
25% de proteínas
25% de lípidos
50% de glúcidos

DELICIA DEL DÍA

Crepa ligera con crema inglesa

I crepa ligera (receta 7.4) ● 100 g de crema inglesa (receta: 7.3) ● I cdta. de crema de grosella (casis) ● 1/2 cdta. de azúcar en polvo

Prepare la crepa. Extienda la crema y rocíe con I cdta. de crema de grosella. Enrolle la crepa, espolvoréela con azúcar. Si la crepa ya está preparada, caliéntela unos minutos en una sartén antes de rellenarla.

SEMANA 1   DÍA 4

MENÚ DE LA MAÑANA

- **Yogur de cereales y frutas rojas***
- Café o té sin azúcar
- 1 vaso de jugo de manzana

*Receta: 1 yogur ● 1/2 limón ● 5 cdas. de hojuelas de avena ● 50 g de frambuesas ● 50 g de grosellas (casis) ● 50 g de grosellas ● Azúcar edulcorante en polvo

Escurra las frutas; rocíe con jugo de limón. Espolvoree con azúcar. Mezcle con las hojuelas de avena y después con el yogur. Si le gusta crujiente, consuma inmediatamente. Deje reposar 10 minutos para una textura más homogénea.

MENÚ DEL MEDIODÍA

- Lechuga con vinagreta ligera
- **Riñones de res al perejil***
- 1 porción de pan integral
- 1 porción de queso Tome aligerado (o queso gruyer)
- Café o té sin azúcar

*Receta: 140 g de riñones de res ● 1 cda. de perejil fresco picado ● 1 punta de ajo ● 1 cdta. de mantequilla ● 200 g ejotes frescos ● Sal y pimienta

Cueza los ejotes al vapor 10 minutos. Deben quedar crujientes. Reserve. Corte los riñones eliminando la grasa y los filamentos blancos. Colóquelos en la canastilla de la vaporera. Salpimiente. Ponga 1/4 de litro de agua en el fondo del recipiente; coloque la canastilla encima. Estofe 10 minutos. Reserve. Prepare un papel de aluminio y ponga los riñones dentro. Espolvoree con el perejil y los ajos cortados. Cubra con los ejotes. Añada la mantequilla y empapele cerrando bien. Coloque nuevamente el papillote bien cerrado en la canastilla de la cacerola y estofe 15 minutos más.

MENÚ DE LA NOCHE

- 1 tazón de caldo de verduras
- Lechuga con jugo de limón
- **Pizza rápida***
- 1/2 frasco de rábanos

- **Frambuesas al tomillo (receta: 1.5)**
- Infusión

*Receta: pasta quebrada de la casa (receta: 1.7) ● 1 tomate ● 3 champiñones ● 1/2 pimiento ● 1 cebolla blanca ● 1 porción de queso gruyer o de Tome rallado ● 1 rebanadita de jamón blanco ● 1 pizca de orégano picado ●1 cdta. de aceite de oliva ● Sal y pimienta

Prepare la pasta quebrada y déjela reposar antes de extenderla (receta: 1.7). Confeccione un fondo de pasta redondo y colóquelo en un molde plano enharinado para horno. Caliente previamente el horno (de 140 a 180 °C) y hornee la pasta sola 5 minutos. Reserve. En una cacerola untada con aceite de oliva vacíe la cebolla picada muy fina, el pimiento cortado en láminas, los champiñones rebanados, el tomate en cuartos. Añada 5 cdas. de agua y cocine a fuego alto revolviendo constantemente hasta que los tomates tengan la consistencia de puré. Reserve. Corte el jamón en pedacitos muy pequeños. Tome la pasta cocida ya fría; extienda encima, dejando un borde de un centímetro, el puré de verduras, el jamón; espolvoree con queso gruyer rallado y orégano picado. Hornee de 15 a 20 minutos (a 280 °C). La pasta deberá estar dorada en los bordes.

Balance del día

Alrededor de 1 300 kcal
15% de proteínas
30% de lípidos
55% de glúcidos

DELICIA DEL DÍA

Salsa de eneldo

Receta: 1 yogur búlgaro ● 1 cda. de crema fresca ● 1 cdta. de mostaza ● 1 punta de curry ● 1/2 cdta. de azúcar edulcorante en polvo ● 1 cda. de eneldo picado ● 1 pizca de Sal y pimienta

Bata el yogur y la crema fresca. Sazone con la mostaza; siga batiendo. Añada el azúcar edulcorante. Agregue el curry y el eneldo, salpimiente ligeramente.

SEMANA 1

MENÚ DE LA MAÑANA

- Batido de cereza*
- 1 porción de pan integral con mantequilla (2 rebanadas finas con 1 cdta. de mantequilla)
- Café o té sin azúcar
- 1 jugo de uva

*Receta: 15 cerezas ● 10 cl de leche ● 1 cdta. de anís molido ● Azúcar edulcorante en polvo

Lave las frutas pasándolas por agua hirviendo. Quíteles las semillas. Mezcle las frutas, la leche y el anís hasta que la leche tenga espuma. Endulce al gusto con azúcar edulcorante justo antes de beber.

MENÚ DEL MEDIODÍA

- Pescado fresco con mayonesa ligera*
- Lechuga con vinagreta ligera
- 1 porción de queso camembert
- 1 porción de pan integral
- 1 pera
- Café o té sin azúcar

*Receta: 1 trozo de lija ● 4 cdas. de mayonesa ligera (receta: 9.3.) ● 1 cubo de consomé ● 1 manojo de berro ● 1/2 limón

Cueza la lija 20 minutos a fuego lento en medio litro de caldo hecho con un cubito de consomé y 1/2 litro de agua. Escurra. Prepare la mayonesa. Sirva el berro bien lavado y escurrido en una ensaladera rociado con jugo de limón.

MENÚ DE LA NOCHE

- 1 tazón de caldo de verduras
- Huevos *cocotte* con caviar de berenjenas*
- Lechuga con limón
- 1 porción de queso de cabra
- 1 porción de pan integral
- 2 albaricoques
- Infusión

*Receta: 2 huevos ● 1 berenjena ● 1/2 limón ● Perejil fresco picado ● Sal y pimienta

DÍA 5

Lave las berenjenas, córtelas en 2 a lo largo y póngalas en un molde plano para horno de 20 a 25 minutos (180 °C). Saque la berenjena del horno y raspe la pulpa con una cuchara. Mezcle este puré con el limón. Sale. Ponga la mitad del puré en un cuenco grande. Haga un hueco en el centro del puré; vacíe los huevos dentro. Cubra delicadamente los huevos con puré de berenjenas. Tape el cuenco con papel de aluminio y ponga en el horno nuevamente 10 minutos. Verifique la cocción levantando el puré; la clara debe estar cocida y la yema, líquida. Espolvoree con perejil fresco picado.

¡Además!
Tisanas: el regaliz y el anís de estrella (o badiana). Dos gotas refrescantes y calmantes. Estas plantas tienen virtudes terapéuticas para el estómago y la digestión difícil, pero también para la tos, o la angina. Además ayudan a combatir la anemia.

No olvide...
No haga nunca la compra con el estómago vacío, ¡sentimos la tentación de comprar cualquier cosa, mucho más de lo necesario! ¡Y no podemos controlarnos!

Balance del día
Alrededor de 1 400 kcal
20% de proteínas
25% de lípidos
55% de glúcidos

DELICIA DEL DÍA

Frambuesas con tomillo

Receta: 1 puñado de frambuesas (casi 100 g) ● 1/2 cdta. de tomillo molido ● 2 cdas. de crema ● Azúcar edulcorante en polvo

Bata la crema, endulce con azúcar edulcorante y añada el tomillo. Enjuague las frambuesas con agua fría y séquelas delicadamente con papel absorbente. Colóquelas en un tazón. Bañe con la crema batida.

SEMANA 1

MENÚ DE LA MAÑANA

- **Crumble** de higos y fresas*
- Café o té sin azúcar
- 1 jugo de tomate

*Receta: 1 cda. de crema fresca ● 1 clara de huevo ● 2 cdas. de hojuelas de avena ● 5 cdas. de corn flakes ● 3 cdas. de granola sin azúcar ● Azúcar edulcorante líquida resistente al calor ● 1 pan tostado ● 2 higos frescos ● 1 punta de vainilla en polvo

Extienda las frutas limpias, peladas y cortadas en el fondo de una fuente refractaria (corte las frutas encima del plato para no perder el jugo). Bata la crema y la clara de huevo, añada los diferentes cereales, endulce (con unas gotas). Vacíe la preparación sobre las frutas cubriéndolas bien. Espolvoree con vainilla y pan molido. Gratine 10 minutos. Vigile la cocción; la parte superior debe gratinarse, pero quedar firme. Una cocción muy prolongada reduciría las frutas a compota.

MENÚ DEL MEDIODÍA

- Codornices con cerezas*
- Lechuga con vinagreta ligera
- Pastel de duraznos (receta: 1.6.)
- Café o té sin azúcar

*Receta: 2 codornices ● 15 cerezas ● 5 cdas. de vino tinto ● 1 pizca de nuez moscada ● Azúcar edulcorante líquida resistente al calor ● 1/2 cda. de maicena ● Sal y pimienta ● 60 g de pasta en conchitas

Parta las codornices por la espalda, aplástelas sobre un molde para horno, salpimiente. Hornee en la parrilla 15 minutos verificando que no se quemen. Voltéelas. Cocine 15 minutos más. Deben estar doradas y la carne cocida. Báñelas con unas cucharadas de agua natural durante la cocción. En una cacerola, cueza las cerezas deshuesadas con el vino y la nuez moscada rallada 10 minutos a fuego lento. Espese la salsa con la maicena; si es necesario, añada 3 gotas del azúcar edulcorante líquida.

DÍA 6

Cubra las codornices con la salsa. Acompañe con la pasta.

MENÚ DE LA NOCHE

- 1 tazón de caldo de verduras
- Ensalada de hinojo con anchoas*
- Lechuga con limón
- 100 g de queso blanco
- 1 durazno (melocotón)
- Infusión

*Receta: 1 bulbo de hinojo ● 2 filetes de anchoas ● 1 cdta. de aceite de oliva ● 1 punta de ajo ● 1/2 yogur búlgaro ● Albahaca fresca picada ● Pimienta

Rebane el hinojo. En una ensaladera, aplaste los filetes de anchoas con el ajo, el aceite, la pimienta; añada después el yogur y mezcle bien. Agregue el hinojo y remueva durante un rato. Espolvoree con albahaca fresca picada. No sale el platillo.

No olvide...

Compre en la panadería 2 galletitas para mañana; si no, hay bolsas de 2 o 4 piezas.

Balance del día

Alrededor de 1 400 kcal

25% de proteínas

20% de lípidos

55% de glúcidos

DELICIA DEL DÍA

Pastel de durazno

Receta: **20 cl de leche descremada ● 1 cdta. de harina ● 1 durazno ● 1 huevo ● Azúcar edulcorante líquida resistente al calor**

En una ensaladera, bata el huevo, el edulcorante, la harina. Cuando la mezcla tenga consistencia espumosa, añada la leche en chorrito y mezcle hasta tener una masa homogénea. Corte en pedacitos la fruta lavada y después añádala a la mezcla. Vacíe en un plato refractario. Hornee 30 minutos (de 140 a 180 °C). El pastel estará cocido cuando al presionar ligeramente por encima con el dedo sienta la pasta flexible y húmeda.

SEMANA 1

MENÚ DE LA MAÑANA

- Huevo pasado por agua y queso blanco*
- Café o té sin azúcar
- Pan integral con mantequilla (2 rebanadas finas)
- 1 naranja

*Receta: 1 huevo ● 100 g de queso blanco

Cueza el huevo durante 3 minutos en agua hirviendo.

MENÚ DEL MEDIODÍA

- Conejo a la cazadora*
- Lechuga verde con vinagreta ligera
- 1 porción de queso camembert
- 1 porción de pan integral
- 2 nectarinas
- Café o té sin azúcar

*Receta: 1 trozo de conejo ● 1 cdta. de harina ● 1 cdta. de concentrado de tomate ● 1 punta de ajo ● 1 tomate grande ● 3 champiñones ● 1/2 cebolla ● 1/4 de litro de vino blanco ● 1 cdta. de aceite ● 1/2 cubito de caldo ● Perejil fresco picado ● 1 pizca de tomillo ● Estragón fresco ● Sal y pimienta ● 2 papas

Corte el conejo en 2 o 3 pedazos, espolvoree con harina y fría en aceite. Añada la cebolla y el ajo picados, voltéelo y humedezca con vino blanco y caldo hecho con 1/4 de litro de agua hirviendo y el medio cubito. Cocine a fuego lento de 1 a 10 minutos. Agregue el concentrado de tomate sin piel. Siga cociendo a fuego lento tapado 15 minutos; voltee de vez en cuando. Añada los champiñones cortados en pedacitos. Deje cocer 10 minutos. Sirva caliente acompañado de papas al vapor. Se pueden cocinar las papas en la misma cazuela que el conejo: en cubitos, póngalas después de haber vertido el vino y el caldo; añada cinco cdas. de caldo.

MENÚ DE LA NOCHE

- 1 tazón de caldo de verduras
- Tomates rellenos con atún y pepinillos*
- Lechuga con limón
- 1 porción de pan integral
- 1 yogur

DÍA 7

- 4 ciruelas
- Infusión

*Receta: 2 tomates ● 30 g de arroz blanco ● 1 cdta. de queso parmesano ● 1 lata de 100 g de atún en agua ● 3 pepinillos ● 1 cdta. de concentrado de tomate ● Perejil fresco picado

Vacíe los tomates con una cucharita sin romperles la piel (reserve la pulpa). Coloque en una cacerola tres partes de agua con sal por una de arroz y póngalo a cocer. Una vez cocido, enjuáguelo con agua fría en un colador y escurra. Mezcle el arroz cocido, el perejil fresco picado, los pepinillos rallados o rebanados finamente, el concentrado de tomate, el atún escurrido. Salpimiente. Rellene los tomates con la mezcla y espolvoree con parmesano. Hornee de 15 a 20 minutos en un molde con la pulpa de tomate para evitar que se seque mientras se hornean. Bañe varias veces durante la cocción.

¡Además!
Dos galletitas a la hora del té (té de jazmín).
No olvide...
Prepare la compota de castañas por la mañana.

Balance del día
Alrededor de 1 300 kcal
15% de proteínas
30% de lípidos
55% de glúcidos

DELICIA DEL DÍA

Pasta quebrada (para 1 porción)

Receta: 5 cdtas. de harina ● 2 cdtas. de mantequilla ● 1/2 yema de huevo ● 2 gotas de azúcar edulcorante líquida resistente al calor ● 1 punta de sal

Mezcle los ingredientes, excepto la yema de huevo, que se añadirá sólo cuando la mezcla de harina, azúcar y mantequilla esté compacta. No ponga toda la yema, sino el equivalente de 1 cdta. Deje reposar la masa envuelta con un paño de cocina limpio antes de utilizarla.

semana 2

LISTA DE COMPRAS DE LA SEMANA 2

Los sobrantes de la semana anterior

1/2 toronja
2/3 de mantequilla
3 porciones de queso camembert
Queso parmesano
1/2 manojo de rábanos
Ajo
1/2 pimiento morrón
1 porción de queso Tome o de gruyer
Se utilizarán esta semana.

Comestibles

1 lata de germen de soya de 100 g
1 lata de 100 mejillones al natural
1 lata de castañas cocidas al natural (120 g de frutas escurridas)
4 huevos

Panadería

1 pan integral
1 panecillo de leche

Bebidas

¡No olvide el agua!
2 jugos de naranja (200 g x 2) sin azúcar

Hierbas aromáticas frescas

Perifollo
Cebollín
Estragón

Infusión de hierbas

Olivo

Verduras

6 zanahorias
1 rama de apio
5 champiñones grandes
5 champiñones
1 pepino
2 calabacitas
3 echalotes
300 g de espinacas frescas
200 g de ejotes
1 nabo
2 cebollas amarillas
2 cebollas blancas
1 mazorca de maíz
200 g de vainas de chícharos tiernos
200 g de alubias frescas en su vaina
1 manojo de perejil fresco
2 puerros
3 papas
6 tomates
1 manojo de berros

Frutas

4 albaricoques
1 plátano
100 g de grosella (casis)
20 cerezas
6 limones
150 g de frambuesas
2 melones
3 duraznos
2 manzanas
4 ciruelas
2 nectarinas
50 g de grosellas silvestres

Lácteos

1 bote de crema fresca
1 kg de queso blanco
120 g de queso roquefort (para 4 porciones de peso medio)
2 litros de leche descremada
3 yogures

Carnicería

Compre las carnes y el pescado a medida que se necesiten, el día anterior a su consumo.

PRIMER DÍA

1 muslo de pollo (unos 160 g)

SEGUNDO DÍA

1 rebanada de jamón crudo (80 g)

TERCER DÍA

1 costilla de ternera (unos 140 g)

CUARTO DÍA

1 filete de cerdo (unos 120 g)

QUINTO DÍA

1 rebanada de jamón blanco (unos 100 g)
1 muslo de pollo (unos 160 g)

SEXTO DÍA

1 jarrete de ternera (unos 130 g)

SÉPTIMO DÍA

1 escalopa de pavo (unos 120 g)
1 rabo de res

Pescadería

PRIMER DÍA

10 camarones rosados
1 filete de rodaballo (unos 130 g)

SEGUNDO DÍA

160 g de lucio

TERCER DÍA

180 g de lija

Varios

■ Prepare por adelantado 2 litros de caldo de verduras para las noches de la semana.

■ Consiga 2 lechugas frescas como acompañamiento de las comidas de la semana.

■ No olvide llenar el frigorífico con "antiantojos".

■ Verifique que no falte nada en la "despensa ideal".

SEMANA 2

MENÚ DE LA MAÑANA

- Café o té sin azúcar
- Panecillo de leche con castañas*
- 1/2 toronja
- 1 vaso de leche descremada

***Receta: 1 panecillo de leche ● 120 g de casta-
ñas cocidas al natural escurridas ● 1/2 cdta. de
vainilla en polvo ● 1 punta de canela ● 1/2 vaso
de leche ● Azúcar edulcorante**

En una cacerola, aplaste con un tenedor las castañas escurridas y enjuagadas. Vierta la leche fresca y los aromas sobre el puré. Lleve a punto dc cbullición, baje el fuego y cocine revolviendo constantemente hasta obtener una pasta lisa y flexible. Endulce con azúcar edulcorante al final de la cocción. Unte la rebanada de pan cortada a la mitad con la compota de castañas.

MENÚ DEL MEDIODÍA

- Muslo de pollo con puré de calabacitas*
- 1/2 manojo de rábanos
- 1 porción de queso camembert
- 1 porción de pan integral
- 1/2 melón
- Café o té sin azúcar

***Receta: 1 muslo de pollo ● 50 g de queso
blanco ● Perejil fresco picado ● 1 echalote ● 1
pizca de cebollín ● 2 calabacitas grandes ● Sal
y pimienta**

Cueza al vapor las rodajas de calabacitas parcialmente peladas. Mezcle el queso blanco con el echalote y el ajo picados. Salpimiente. Retire la piel del pollo. Haga una incisión en la parte superior del muslo. Unte con los condimentos. Vierta 1/2 vaso de agua en un refractario; ponga sobre un papel de aluminio para hacer un papillote. Coloque la piel del pollo en el fondo; después añada el muslo sazonado sobre la piel. Cierre el papillote. Hornee 40 minutos (de 140 a 180 °C). Mezcle un poco las calabacitas. Salpimiente. Este puré debe servirse caliente como acompañamiento del pollo. Deseche la piel del pollo.

DÍA 1

MENÚ DE LA NOCHE

- 1 tazón de caldo de verduras
- Filete de rodaballo *à la dieppoise**
- Berro (1/2 manojo) aromatizado con limón
- 100 g de queso blanco
- 1 porción de pan integral
- Infusión

***Receta: 1 filete de rodaballo ● 200 g de vainas
de chícharos tiernos ● 150 g de salsa *dieppoise*
(receta 6.4) ● estragón fresco**

Cocine el filete de rodaballo en un plato hondo con cinco cdas. de agua fría. Sale ligeramente el filete. Ponga el plato encima de una cacerola con agua hirviendo de 15 a 20 minutos. Déle la vuelta al filete a media cocción. Esta manera de cocinar permite conservar intacto el gusto del pescado, así como su "agua". Saque de la vaina los chícharos y cuézalos al vapor. Prepare la salsa de vino blanco *à la dieppoise*. Sirva el filete bañado con la salsa y acompañado de los chícharos. Decore con hojas de estragón fresco.

¡Además!
Beba una copa de vino blanco para acompañar el filete de rodaballo esta noche.

No olvide...
Guarde en el frigorífico la mitad de la compota de castañas en un bote cerrado herméticamente para un próximo uso (receta 3.6.)

Balance del día
Alrededor de 1 300 kcal
30% de proteínas
15% de lípidos
55% de glúcidos

DELICIA DEL DÍA

Vinagreta ligera

**Receta: 1 cda. de aceite ● 1 cda. de vinagre ●
2 cdas. de leche descremada ● Perifollo fresco
picado ● Sal y pimienta**

Pique el perifollo finamente y mezcle los ingredientes con un batidor. Sale ligeramente.

SEMANA 2

MENÚ DE LA MAÑANA

- Café o té sin azúcar
- *Strudel* con albaricoques*
- I jugo de naranja

*Receta: I yema de huevo ● 3 cdas. de leche descremada ● 2 cdas. de harina integral ● 2 cdtas. de mantequilla ● I cdta. de almendras molidas ● I pizca de canela ● I pizca de vainilla en polvo ● 4 albaricoques ● Azúcar edulcorante líquida resistente al calor

Bata la yema de huevo con unas gotas de azúcar. Añada las almendras, la vainilla y la leche descremada. Reserve la crema obtenida. En una cacerola, derrita la mantequilla. Sáquela del fuego y agregue la harina, endulce con unas gotas de azúcar y añada la canela. La mezcla debe quedar granulosa. En un plato refractario ponga las frutas en trocitos, cubra con la crema y después espolvoree con la mezcla granulosa; gratine 10 minutos como máximo. Vigile la cocción; los trozos de pasta deben estar dorados.

MENÚ DEL MEDIODÍA

- Lucio a la mantequilla blanca*
- Ensalada de berros (1/2 manojo) aderezada con jugo de limón
- I porción de pan integral
- I yogur
- Café o té sin azúcar

*Receta: I trozo de lucio ● I sobre de caldo corto ● I echalote ● I cda. de mantequilla ● 2 cdas. de vinagre ● Sal y pimienta ● Perejil picado ● 3 papas

Ponga el trozo de pescado en un bote de plástico o un plato de vidrio que cierre herméticamente. Rocíe con 1/2 litro de caldo corto hirviendo. Tape y deje reposar 3 horas. Cueza las papas al vapor y pélelas. Pique el echalote y fríalo en el vinagre 5 minutos como máximo, hasta que lo haya absorbido. Salpimiente. Añada la mantequilla. Déle vuelta 1 minuto. Coloque en una fuente el pescado bañado con la salsa

DÍA 2

y acompañado de las papas. Espolvoree con perejil fresco picado.

MENÚ DE LA NOCHE

- I tazón de caldo de verduras
- Lechuga con aderezo de limón
- Melón al oporto*
- 100 g de queso blanco
- I porción de pan integral
- Infusión

*Receta: 1/2 melón ● I rebanada de jamón crudo ● I cda. de oporto ● 6 aceitunas negras deshuesadas ● Sal y pimienta

Salpimiente muy ligeramente el medio melón ya sin las pepitas. Añada el oporto en el centro. Deje reposar en el frigorífico 10 minutos. Acompañe con una rebanada fina de jamón crudo y aceitunas negras.

¡Además!
Pruebe hacer la vinagreta ligera con vinagre de Módena; su sabor es único y su gusto muy suave.

No olvide...
Prepare el Lucio en caldo corto en la mañana para la comida del mediodía.

Balance del día
Alrededor de 1 500 kcal
40% de proteínas
20% de lípidos
40% de glúcidos

DELICIA DEL DÍA

Salsa blanca, 1ª versión

Receta: 1/4 de litro de agua ● 1/2 cubo de consomé ● 2 cdas. de maicena ● I pizca de nuez moscada ● Sal y pimienta

Caliente 1/4 de litro de agua y haga un caldo con 1/2 cubo de consomé de verduras. Incorpore la maicena sin que se hagan grumos. Deje espesar la salsa 10 minutos revolviendo constantemente. Salpimiente al final de la cocción. Añada la nuez moscada rallada.

SEMANA 2

MENÚ DE LA MAÑANA

- Café o té sin azúcar
- Queso blanco con duraznos*
- 1 porción de pan integral

*Receta: 100 g de queso blanco ● 2 duraznos ● Azúcar edulcorante en polvo

Pele y corte las frutas en cubitos en un tazón para no perder el jugo. Mezcle con el queso blanco. Endulce al gusto con azúcar edulcorante.

MENÚ DEL MEDIODÍA

- Lija en salsa *grelette**
- Lechuga con vinagreta ligera
- 1 porción de queso roquefort
- 1 porción de pan integral
- Café o té sin azúcar

*Receta: 1 trozo de lija ● 100 g de salsa *grelette* (receta 2.3) ● 1/2 cdta. de mantequilla ● 200 g de ejotes

Ponga el trozo de pescado en una caja de plástico o un plato vidrio que cierre herméticamente. Rocíe con caldo corto hirviendo. Tape y deje reposar 3 horas. Prepare la salsa *grelette*. Cocine los ejotes al vapor. Escurra el pescado. Póngalo en una fuente, báñelo con la salsa y acompáñelo con los ejotes sazonados con una nuez de mantequilla.

MENÚ DE LA NOCHE

- 1 tazón de caldo de verduras
- Alubias tiernas a la *Poitiers**
- Lechuga al limón
- 1 porción de queso camembert
- 50 g de frambuesas frescas
- 1 porción de pan integral
- Infusión

*Receta: 130 g de alubias ● 1 cebolla blanca ● 1 puerro pequeño ● 1 cdta. de crema fresca ● 1 costilla de ternera ● Perejil fresco picado ● Perifollo fresco picado ● Ajedrea en polvo ● Sal y pimienta

DÍA 3

Corte las zanahorias en rodajas finas y los puerros en juliana. Pique las cebollas. Ponga las verduras en una cacerola de agua hirviendo con sal. Espolvoree con perifollo y ajedrea. Salpimiente. Cueza 10 minutos hasta el punto de ebullición y después baje el fuego y añada las alubias para que se cocinen 30 minutos. Sirva con una cucharada de crema fresca. Acompañe con una costilla de ternera asada en una sartén con revestimiento antiadherente.

¡Además!
- Consiéntase con una pastita de una pastelería tradicional para el té de la tarde.
- Mezcla de especias: el curry.
Es a la vez el nombre que se le dio en la India a la mezcla de especias y a los platillos que lo contienen. Esta mezcla puede contener de 5 a 50 especias. Son casi imprescindibles la canela, el cilantro, el comino, la cúrcuma, el jengibre, la nuez moscada o el clavo de olor.

No olvide…
- Prepare la lija cocida en caldo corto por la mañana para la comida del mediodía.
- Verifique que haya hojas bien tiernas de lechuga para el platillo de mañana por la noche.

Balance del día
Alrededor de 1 500 kcal
35% de proteínas
20% de lípidos
45% de glúcidos

DELICIA DEL DÍA

Salsa *grelette*

Receta: **50 g de queso blanco ● 1 echalote ● jugo de 1/2 limón ● 1 tomate ● Sal y pimienta**

Lave el tomate. Quítele la piel y las pepitas. Mezcle bien todos los ingredientes. Se puede calentar en baño María antes de utilizar. Esta salsa se consume fría o caliente.

SEMANA 2

MENÚ DE LA MAÑANA

- Café o té sin azúcar
- Batido de grosella (casis)*
- 1 porción de pan integral con mantequilla (2 rebanadas delgadas de pan con 1 cdta. de mantequilla)

*Receta: 100 g de grosella (casis) ● 10 cl de leche descremada ● 1 cdta. de anís en polvo ● Azúcar edulcorante en polvo

Lave las frutas con agua caliente y escurra. Bátalas con la leche y el anís hasta que espume la mezcla. Endulce al gusto inmediatamente antes tomar. Puede consumirse fresco o tibio.

MENÚ DEL MEDIODÍA

- 1 porción de pan integral
- Cerdo en soya*
- Lechuga con vinagreta ligera
- 50 g de grosellas silvestres
- Café o té sin azúcar

*Receta: 1 trozo de filete de cerdo ● 1 zanahoria ● 1 cdta. de salsa de soya ● 1 rama de apio ● 1 paquete de germen de soya (100 g) ● 100 g de espinacas frescas ● 1/2 cubo de consomé ● Pimienta

Retire la grasa del trozo de cerdo. Córtelo en láminas. Prepare un caldo con el 1/2 cubo y 1 vaso de agua hirviendo. Ponga la carne en una cazuela. Rocíe con el caldo. Cueza tapado durante 10 minutos y después añada la zanahoria y el apio rallados de forma gruesa, el germen de soya y las espinacas salteadas con una nuez de mantequilla en una sartén con revestimiento antiadherente. Agregue la salsa de soya. Cocine 20 minutos revolviendo de vez en cuando. Debe quedar con poco líquido. Añada pimienta.

MENÚ DE LA NOCHE

- 1 tazón de caldo de verduras
- Ensalada de arroz*
- 1 porción de queso camembert
- 1 porción de pan integral
- 4 ciruelas
- Infusión

DÍA 4

*Receta: 50 g de arroz blanco ● 6 hojas de lechuga tierna ● 1 cebolla blanca ● 5 champiñones ● 1 manzana ● 1 pizca de jengibre ● 1 pizca de curry ● Perejil picado ● Cebollín picado ● 1 cdta. de aceite ● Sal y pimienta ● 1 limón

En una sartén con revestimiento antiadherente sofría la cebolla con el arroz crudo 5 minutos revolviendo constantemente y después ponga la mezcla en una cacerola de agua hirviendo con sal (3 partes de agua por 1 de arroz). Añada pimienta. Corte la lechuga, los champiñones y la manzana. Vacíe todo en una ensaladera. Rocíe con aceite y limón. Mezcle. Sazone con las especias. Añada el arroz cocido y pasado por agua fría. Mezcle.

> No olvide...
>
> ¿Le parece frugal la cena? Añada al menú un plato grande de verduras de la preparación de su caldo. Casi no tienen calorías. y están repletas de sales minerales.

> Balance del día
> Alrededor de 1 400 kcal
> 20% de proteínas
> 25% de lípidos
> 55% de glúcidos

DELICIA DEL DÍA

> Caldo de verduras (de 2 a 2 1/2 litros)

Receta: 3 zanahorias ● 1 puerro (blanco y verde) ● 1 nabo ● 1 rama de apio ● 1 pimiento ● 1 cebolla grande ● 1 echalote ● 1 punta de ajo ● 1 ramillete de hierbas aromáticas ● 2 clavos de olor ● 5 granos de pimienta ● Sal

Corte las verduras en pedazos y sumérjalas en 3 o 4 litros de agua fría con sal. Aromatice con las hierbas y las especias (póngalas en una bolsita para que puedan retirarse fácilmente al final de la cocción). Cuando hierva, tape y cueza a fuego lento 20 minutos. Cuele el caldo y reserve las verduras para una cena ligera. Estas verduras son ideales para acompañar un asado de carne de res o un pescado cocido al vapor. O bien, mézclelas con el caldo para preparar una sopa de verduras.

SEMANA 2

DÍA 5

MENÚ DE LA MAÑANA

- ■ Cereales, queso blanco, compota de manzanas y frambuesas*
- ■ Café o té sin azúcar

*Receta: 2 panes tostados ● 2 cdas. de granola sin azúcar ● 100 g de queso blanco ● 1 manzana ● 100 g de frambuesas ● 1/2 cdta. de vainilla en polvo ● Azúcar edulcorante

Cocine la manzana cortada en una cacerola con 1/4 de vaso de agua hasta que se reduzca a puré. Añada las frambuesas lavadas y la vainilla durante la cocción. Endulce al gusto con azúcar edulcorante al final de la cocción. No deje de revolver. Si el puré está muy espeso, agregue agua. Unte los panes tostados con el queso blanco primero, después agregue la compota y espolvoree con granola.

MENÚ DEL MEDIODÍA

- ■ 1 porción de pan integral
- ■ Pollo con duraznos*
- ■ Ensalada de 1/2 pepino aderezada con queso blanco y hierbas (receta 9.2)
- ■ Café o té sin azúcar

*Receta: 1 muslo de pollo ● 1/2 cebolla ● 1 durazno ● 1/2 cdta. de miel ● 5 cdas. de vino blanco ● 1/2 cdta. de salsa de soya ● 1 pizca de 4 especias ● Tomillo ● Laurel ● Pimienta

En una cazuela sofría la cebolla picada con la salsa de soya, el vino blanco, el tomillo, el laurel, las 4 especias. Añada pimienta. Mezcle. Retire del fuego. Coloque el pollo en ella y marine 30 minutos moviendo de vez en cuando. Caliente el horno (de 220 a 240 °C). Ponga el pollo escurrido en un plato refractario. Hornee tapado durante 20 minutos. Dé vuelta al pollo de vez en cuando. Reserve la marinada. Pele el durazno; córtelo en cuartos. Saque el refractario y el pollo debe estar cocido a 3/4. Úntelo con miel, añada los duraznos, revuelva bien los ingredientes para que se impregnen del jugo de la cocción y bañe con la marinada; ponga en el horno 10 minutos más.

MENÚ DE LA NOCHE

- ■ 1 tazón de caldo de verduras
- ■ Mazorca de maíz a la mantequilla*
- ■ 1 rebanada de jamón blanco
- ■ Lechuga con limón
- ■ 1 porción de roquefort
- ■ 1 porción de pan integral
- ■ Infusión

*Receta: 1 mazorca de maíz fresca ● 1 cdta. de sal gruesa ● 1 cda. de mantequilla

Quite las hojas de la mazorca de maíz. Lave con agua fría. Ponga en la canastilla de la vaporera. Salpimiente con sal gruesa. Colóquela encima del agua hirviendo. Cerrar herméticamente y cocer 15 minutos. Frote la mazorca con la mantequilla al sacarla de la olla y cómala enseguida.

¡Además!

Una infusión: el olivo. Planta muy antigua, posee virtudes para luchar contra el exceso de colesterol y la tensión. Su sabor es suave y 2 hojas de menta fresca para una taza de infusión de olivo exaltan su gusto. Es un excelente diurético.

No olvide...

Prepare hoy la bavaresa de melón para mañana al mediodía.

Balance del día
Alrededor de 1 400 kcal
20% de proteínas
25% de lípidos
55% de glúcidos

DELICIA DEL DÍA

Salsa picante de yogur

Receta: **1 yogur ● 1 echalote ● 1 punta de pimiento dulce ● 1/4 de pepino**

Ralle finamente el pepino, pique los echalotes. Mezcle el yogur con el pepino y los echalotes. Salpimiente y añada el puré de pimiento al gusto. Deje reposar en el frigorífico 30 minutos antes de su utilización.

SEMANA 2

DÍA 6

MENÚ DE LA MAÑANA

■ Granola con melón*
■ Café o té sin azúcar

*Receta: 3 cdas. de granola sin azúcar ● 150 g de queso blanco ● 1/2 melón ● 1 cda. de crema de grosella (casis) ● 1/4 de vaso de leche descremada ● Azúcar edulcorante en polvo

Corte el melón en cubitos sobre un plato. Añada el queso batido. Remoje la granola en la leche y añádala al final, rocíe con crema de grosella. Endulce.

MENÚ DEL MEDIODÍA

■ 1 porción de pan integral
■ *Osso buco**
■ Lechuga con vinagreta ligera
■ 1 porción de queso Tome ligero o de gruyer
■ Bavaresa de melón (receta 2.6)
■ Café o té sin azúcar

*Receta: 1 rebanada de jarrete de ternera ● 3 tomates ● 1 cebolla ● 1 vasito de vino blanco ● 1/2 limón ● 200 g de espinacas ● Perejil fresco picado ● 1 pizca de tomillo ● 1 hoja de laurel ● Sal y pimienta

Corte los tomates. Pique la cebolla. Vacíe en una cacerola. Rocíe con vino. Salpimiente. Añada el tomillo y el laurel, luego la carne en trozos. Cocine tapado 15 minutos a fuego lento. Siempre debe quedar líquido; si es necesario, añada un poco de agua. Escalfe durante 10 minutos las espinacas en una cacerola con agua hirviendo con sal. Escurra. Ponga en una fuente la cama de espinacas y encima la carne bañada con su jugo. Espolvoree con perejil fresco picado.

MENÚ DE LA NOCHE

■ 1 tazón de caldo de verduras
■ Ensalada de tomates en *omelette**
■ 1 porción de roquefort
■ 1 porción de pan integral
■ 2 nectarinas
■ Infusión

*Receta: 2 tomates ● 1/2 pimiento ● 1/2 limón 1 cdta. de cebollín picado ● 2 huevos ● 1 punta de mostaza ● 1 cdta. de aceite de oliva ● 1/2 cdta. de vinagre ● Sal y pimienta

Bata los huevos y el cebollín. Haga una *omelette* y deje que se enfríe en un plato. Prepare una vinagreta (aceite, vinagre, mostaza, sal y pimienta). Corte los tomates en tiras gruesas y la *omelette* en tiras finas. Vacíe los ingredientes en una ensaladera y mezcle. Rocíe con jugo de limón al momento de degustar.

¡Además!
Bañe la bavaresa de melón con 1 cda. de coñac.

No olvide...
Mientras más seca y pesada es la pasta de un queso (queso gruyer, Tome, etc.), mayor es su concentración de materias grasas y, en consecuencia, es más calórico. Prefiera los quesos frescos o de pasta suaves (queso de cabra fresco, camembert, saint-florentin, etcétera).

Balance del día
Alrededor de 1 400 kcal
20% de proteínas
25% de lípidos
55% de glúcidos

DELICIA DEL DÍA

Bavaresa de melón

Receta: 1/2 melón ● 30 g de leche descremada en polvo ● 3 hojas de gelatina ● Azúcar edulcorante en polvo

Con un tenedor, haga puré de melón. Reduzca el jugo al menos en 1/3 calentando el melón en una cacerola unos minutos mezclando constantemente. Añada la leche diluida en 10 cl de agua y endulce al gusto al final de la cocción. Revuelva hasta obtener una mezcla tersa. Remoje las hojas de gelatina en agua fría 5 minutos, derrítalas después en una cacerola al fuego unos minutos con 3 o 4 cdas. de agua. Revuelva constantemente. Añada la gelatina derretida a la mezcla. Ponga en un molde en el frigorífico de 5 a 6 horas.

SEMANA 2

DÍA 7

MENÚ DE LA MAÑANA

■ Café o té sin azúcar
■ Yogur con plátano y germen de trigo*
■ 1 vaso de jugo de naranja

*Receta: 1 plátano ● 2 cdtas. de germen de trigo ● 1 yogur ● Azúcar edulcorante en polvo

Pele y macere el plátano en un tazón, añada el yogur y mezcle bien. Endulce ligeramente con azúcar edulcorante en polvo. Espolvoree con germen de trigo justo antes de degustar.

MENÚ DEL MEDIODÍA

■ 1 porción de pan integral
■ Rabo de res con rábano picante (raíz fuerte) *
■ Ensalada de 3 zanahorias ralladas con vinagreta ligera
■ Cerezas al vino (receta 2.7)
■ Café o té sin azúcar

*Receta: 200 g de rabo de res ● 1 zanahoria ● 1 nabo ● 1 puerro pequeño ● 1 cubo de consomé ● 1 pizca de tomillo ● 1 hoja de laurel ● Sal y pimienta ● 80 g de salsa de rábano picante (receta 4.2)

Ase la carne en una cacerola antiadherente. Añada las verduras picadas: la zanahoria en rodajas finas, el nabo en dados, el puerro en juliana. Espolvoree con tomillo. Agregue una hoja de laurel que se retirará al final de la cocción. Bañe con el caldo hecho con 1/2 litro de agua hirviendo y 1 cubo de consomé. El caldo sólo debe cubrir los ingredientes. Cocine tapado 60 minutos. Luego destapado 10 minutos para reducir el líquido si es necesario. Prepare la salsa de rábano picante.

MENÚ DE LA NOCHE

■ 1 tazón de caldo de verduras
■ *Mousse* de champiñones*
■ Escalopa de pavo asado
■ Lechuga con limón
■ 1 porción de roquefort
■ 1 porción de pan integral
■ Infusión

*Receta: 5 champiñones grandes ● 1/4 de litro de leche ● 1 limón ● 1 punta de nuez moscada ● Sal y pimienta

Lave los champiñones. Escúrralos bien. Rocíelos con jugo de limón. Caliente la leche en una cacerola y añada los champiñones cortados en 4. Salpimiente. Agregue la nuez moscada. Cocine 20 minutos destapado. Escurra los champiñones y mézclelos. Si el puré está muy espeso, ponga un poco más de jugo de la cocción. Verifique la sazón.

¡Además!
- Una vez no hace la costumbre: consiéntase con un chocolate.
- Una hierba aromática, el tomillo común: perfuma guisos y carnes que se cocinan durante mucho tiempo, resalta el sabor del conejo y del cordero; ilumina las ensaladas veraniegas.

No olvide...
- Piense en hacer hielos para el *dolce farniente* de mañana por la noche.
- La sensación de saciedad aparece como mínimo 20 minutos después de una comida. Es necesario ser pacientes antes de concluir que no se ha comido mucho.

> Balance del día
> Alrededor de 1 400 kcal
> 25% de proteínas
> 20% de lípidos
> 55% de glúcidos

DELICIA DEL DÍA

Cerezas al vino

Receta: 20 cerezas ● 1/2 vaso de vino tinto ● 1 cdta. de anís en polvo ● Azúcar edulcorante en polvo

Lave y deshuese las cerezas. Escúrralas bien. Ponga en una ensaladera las cerezas cortadas en 2, añada el vino tinto previamente aromatizado con el anís y el azúcar edulcorante. Macere 30 minutos en un lugar frío.

semana 3

LISTA DE COMPRAS DE LA SEMANA 3

Los sobrantes de la semana anterior

1/2 pepino
Queso parmesano
1/4 de mantequilla
Ajo
Se utilizarán esta semana.

Comestibles

10 huevos

Panadería

1 pan blanco de miga densa

Bebidas

¡No olvide el agua!
1 jugo de naranja (200 g) sin azúcar
1 botella de vino blanco de Alsacia

Hierbas aromáticas frescas

Perifollo
Estragón

Infusión de hierbas

Cola de caballo

Verduras

1 berenjena pequeña
1 betabel (remolacha) pequeño cocido
2 zanahorias
250 g de chucrut crudo
2 champiñones
200 g de tallos de acelgas
4 calabacitas
200 g de espinacas frescas
5 cebollas amarillas
1 cebolla blanca
1 manojo de perejil fresco
2 puerros pequeños
200 g de vainas de chícharos tiernos
3 pimientos rojos
20 tomates

Frutas

6 albaricoques
2 nectarinas
15 cerezas
6 limones
20 g de fresas frescas
200 g de frambuesas
100 g de grosellas
1 mango
4 naranjas
1 toronja
2 duraznos
4 ciruelas
150 g de ruibarbo
100 g de moras
1/2 sandía (es decir, 6 rebanadas)
1 melón
1 manzana

Lácteos

1 queso de cabra fresco (80 g) (2 porciones de peso medio)
120 g de queso cantal fresco (para 4 porciones de peso medio)
120 g de queso Tome ligero (para 4 porciones de peso medio)
1 bote de crema fresca
250 g de queso blanco
1 litro de leche descremada
3 yogures

Carnicería

Compre la carne y el pescado a medida que se necesiten, el día anterior a su consumo.

PRIMER DÍA

2 trozos de cachete de res, unos 250 o 300 g
1 patita de ternera

SEGUNDO DÍA

1 medallón de res (unos 120 g)

TERCER DÍA

1 escalopa de pollo (unos 120 g)

CUARTO DÍA

unos 120 g de sesos de cordero
1 rebanada muy fina (60 g) de jamón blanco
1 salchicha de Estrasburgo

QUINTO DÍA

1 filete de res (unos 120 g)
1 rebanada de jamón blanco (unos 100 g)

SÉPTIMO DÍA

120 g de carne de res molida (picada)

Pescadería

PRIMER DÍA

1 rodaja de atún rojo (unos 140 g)

SEXTO DÍA

1 rodaja de atún rojo (unos 140 g)

SÉPTIMO DÍA

180 g de lija

Varios

■ Elabore por adelantado 2 litros de caldo de verduras para las noches de la semana.
■ Prevea 5 lechugas como acompañamiento de las comidas de la semana.
■ No olvide llenar el frigorífico con "antiantojos".
■ Verifique que no falte nada en la "despensa ideal".

SEMANA 3

DÍA I

MENÚ DE LA MAÑANA

■ Café o té sin azúcar
■ Huevo pasado por agua con trocitos de pan, compota de mango*
■ Coctel latigazo (receta 3.6)

*Receta: I huevo ● porción de pan banco (2 rebanadas finas) ● I cdta. de mantequilla ● I mango ● Unas gotas de agua de azahar ● Azúcar edulcorante en polvo

Prepare la compota de mango. Primero pele cuidadosamente el mango, corte la pulpa en trozos y cocínela en una cacerola con 1/4 de vaso de agua y unas gotas de agua de azahar. Mezcle constantemente. La compota estará lista cuando la fruta se reduzca a puré al aplastarla con un tenedor. Endulce al gusto con azúcar edulcorante al final de la cocción. Unte el pan con mantequilla y córtelo en bastoncitos. Cueza el huevo 3 minutos en agua hirviendo.

MENÚ DEL MEDIODÍA

■ I porción de pan blanco
■ Atún a la vasca*
■ Ensalada de pepino (1/2 pepino, vinagreta ligera)
■ I yogur
■ 2 nectarinas
■ Café o té sin azúcar

*Receta: 2 cebollas ● 3 puerros pequeños ● I pimiento rojo ● I tomate ● I rodaja de atún ● I cdta. de aceite ● Sal y pimienta

Lave la cebolla, los puerros y el pimiento, y córtelos en pedacitos. Dore las verduras en una sartén con revestimiento antiadherente untada con aceite. Salpimiente. Añada el tomate pelado y cortado en trozos. Cocine a fuego lento el puré durante 20 minutos. Agregue la rodaja de atún y cueza durante 15 minutos. Hay que darla vuelta constantemente.

MENÚ DE LA NOCHE

■ I tazón de caldo de verduras
■ I porción de pan blanco
■ Cachete de res con zanahorias y betabel*
■ *Dolce farniente* (receta 3.2)

■ Infusión

*Receta: 250 g de cachete de res ● I pata de ternera ● 2 zanahorias ● I cubo de consomé ● I cebolla ● I clavo de olor ● I betabel pequeño ● I ramillete de hierbas aromáticas ● Sal y pimienta

Escalfe la pata de ternera en el agua hirviendo con sal. Escurra. En una cazuela, póngala junto con el cachete de res y la cebolla con el clavo de olor incrustado. Cubra con agua fría y espere a que hierva para añadir el ramillete de hierbas aromáticas, el cubo de consomé y 6 granos de pimienta. Cueza a fuego vivo 50 minutos. Retire las carnes y reserve. Filtre el caldo y póngalo de nuevo en la cazuela. Añada la zanahoria cortada en rodajas o en bastoncitos. Hierva a fuego vivo 20 minutos. El caldo debe reducirse a la mitad. Sirva la mitad de la carne de res y la pata de ternera, la mitad de las zanahorias y el resto de las verduras con una ensalada de betabel a la vinagreta.

■ No olvide...
La mitad del plato de cachete permite la preparación de la res en gelatina de mañana: en una terrina, coloque en capas alternadas la carne desmenuzada y las zanahorias, cubra con el jugo de la cocción y deje en el frigorífico toda la noche.

> Balance del día
> Alrededor de 1 400 kcal
> 30% de proteínas
> 20% de lípidos
> 50% de glúcidos

DELICIA DEL DÍA

Salsa de azafrán

Receta: I vaso de vino blanco ● 1/4 de cubo de consomé ● I cda. de crema fresca ● 3 echalotes ● I paquetito de azafrán ● Sal y pimienta

Diluya 1/4 de cubo de consomé en un vaso de agua hirviendo. Pique los echalotes y cuézalos en el vino blanco. Vacíe el caldo. Cocine a fuego lento 10 minutos. Mezcle y añada la crema y el azafrán. Salpimiente al gusto.

SEMANA 3 — DÍA 2

MENÚ DE LA MAÑANA

- Café o té sin azúcar
- *Corn flakes* con fresas*
- 1 jugo de naranja

*Receta: 150 g de queso blanco ● **10 cdas. de corn flakes** ● **15 fresas frescas** ● **1 cdta. de miel** ● **Azúcar edulcorante en polvo**

En un plato hondo vierta los 150 g de queso blanco. Endulce al gusto con azúcar edulcorante. Corte las fresas en rebanadas encima del plato y añada los *corn flakes*, deje caer encima la miel y coma enseguida.

MENÚ DEL MEDIODÍA

- 1 porción de pan blanco
- Medallón de res con tomates*
- Lechuga con vinagreta ligera
- 1 porción de queso cantal
- 1 durazno
- Café o té sin azúcar

*Receta: 1 medallón de res ● **4 tomates** ● **1 cebolla blanca** ● **Perejil fresco picado** ● **Sal y pimienta**

En un refractario, coloque los tomates cortados en rodajas gruesas. Espolvoree con perejil y cebolla picada. Hornee 10 minutos. Saque del horno. Voltee un poco y ponga el medallón de res encima de las verduras. Meta en el horno de nuevo hasta que la carne esté cocida. Voltee el medallón de res al menos una vez. Salpimiente.

MENÚ DE LA NOCHE

- 1 tazón de caldo de verduras
- Res en gelatina*
- Lechuga con limón
- 1 porción de queso Tome
- 1 porción de pan blanco
- Infusión

*Receta: Res en gelatina preparada el día anterior ● **1 tomate** ● **1 cda. de crema fresca**

Desmolde la terrina de res en gelatina preparada el día anterior y córtela en rebanadas

gruesas en un plato. Decore con el tomate cortado en cuartos. Añada la crema sobre los tomates.

¡Además!

- Consiéntase a la hora del té con 2 tejas de almendra.
- Una especia: *Melisa cidronela* (toronjil). Para cocinar se usan las hojas. Frescas, perfuman el pescado, las aves, el cordero y el yogur. Puede sustituir al limón aportando un gusto menos ácido. La cocina asiática lo utiliza mucho.
- Una especia: anís verde.

Aroma por excelencia de la repostería, también se utiliza en la cocción de carnes fuertes o para realzar el sabor de algunas verduras. Su uso es muy parecido al del hinojo y al de las semillas de eneldo.

No olvide...

Para los desvelados que necesitan una cuarta comida alrededor de la medianoche o la una de la mañana, prevea 1 o 2 yogures endulzados con azúcar edulcorante y aromatizados con una naranja pelada cortada en trozos (córtela encima del yogur para no perder jugo). Es muy refrescante y nutritivo.

Balance del día
Alrededor de 1 400 kcal
25% de proteínas
20% de lípidos
55% de glúcidos

DELICIA DEL DÍA

Dolce farniente

Receta: 1 naranja ● **1 toronja** ● **5 cdas. de aguardiente** ● **5 fresas frescas**

Exprima la naranja y la toronja, mezcle el jugo con los ingredientes durante unos minutos y sirva con hielo.

SEMANA 3

MENÚ DE LA MAÑANA

■ Café o té sin azúcar
■ Sémola con cerezas*

*Receta: 30 g de sémola de trigo fina ● **I vaso de leche descremada** ● **15 cerezas** ● **I pizca de vainilla en polvo** ● **Azúcar edulcorante líquida resistente al calor**

Limpie y deshuese las cerezas encima de un plato. Escálfelas en agua hirviendo con azúcar edulcorante durante 5 minutos. Hidrate la sémola en la leche hirviendo. Endulce con azúcar edulcorante. Rocíe con el jugo de cereza que quedó en el plato. Mezcle bien. Agregue la fruta cuando la sémola ya esté lista. Sirva tibio espolvoreado con vainilla.

MENÚ DEL MEDIODÍA

■ I porción de pan blanco
■ Pollo con los sabores de Provenza*
■ Lechuga con vinagreta ligera
■ I porción de queso Tome
■ I porción de sandía
■ Café o té sin azúcar

*Receta: I escalopa de pollo ● **I berenjena pequeña** ● **I cebolla** ● **I diente de ajo** ● **I calabacita** ● **I tomate** ● **I cdta. de concentrado de tomate** ● **1/2 cubo de consomé** ● **5 g de comino** ● **Perejil fresco picado** ● **Sal y pimienta** ● **Sal gruesa**

Corte la berenjena en rodajas. Coloque las rodajas en un plato y espolvoree con sal gruesa. Deje reposar 30 minutos. Enjuague y escurra. Corte el pollo en trozos. Póngalos en una cacerola con revestimiento antiadherente. Añada las berenjenas. Bañe con 1/4 de litro de caldo hecho con el cubo de consomé. Cueza 25 minutos a fuego lento removiendo regularmente. Agregue todos los ingredientes a la cacerola. Salpimiente. Cocine de nuevo a fuego lento 20 minutos sin dejar de revolver. Espolvoree con perejil fresco picado.

MENÚ DE LA NOCHE

■ I tazón con caldo de verduras

DÍA 3

■ Tomates en salsa de queso*
■ Lechuga con limón
■ Albaricoque merengado (receta 6.5)
■ I porción de pan blanco
■ Infusión

*Receta: 4 tomates ● **2 huevos** ● **I puñado de perejil fresco picado** ● **100 g de salsa de queso de cabra (receta 3.3)**

Cueza los huevos hasta que estén duros. Corte los tomates en cuartos delgados. Prepare la salsa. Presente en un plato los huevos cortados en 2 y los tomates. Bañe con la salsa. Espolvoree con perejil fresco picado.

¡Además!
- Una infusión: cola de caballo
Este helecho de los arroyos tiene propiedades diuréticas útiles en particular para los padecimientos urinarios. Es una infusión muy energética con sabor ligeramente amargo.

No olvide...
Para empezar una dieta, es necesario estar en armonía consigo misma. No se aconseja comenzar una dieta cuando se está deprimida, ansiosa o fatigada. Hay que comprender este estado para superarlo. La motivación vendrá naturalmente.

Balance del día
Alrededor de I 300 kcal
20% de proteínas
30% de lípidos
50% de glúcidos

DELICIA DEL DÍA

Salsa de queso de cabra

1/2 yogur ● **25 g de queso de cabra fresco** ● **2 puntas de pimentón (paprika)** ● **Perejil fresco picado** ● **Sal y pimienta**

Aplaste el queso en un tazón y añada después el yogur y el pimentón. Bata con fuerza para obtener una mezcla cremosa. Sazone con perejil fresco picado. Sale ligeramente. Añada pimienta con generosidad.

SEMANA 3   DÍA 4

MENÚ DE LA MAÑANA

- Café o té sin azúcar
- Batido de frambuesa*
- 1 naranja
- 1 porción de pan blanco (2 rebanadas finas)
- 1 cdta. de mantequilla

*Receta: 100 g de frambuesas ● 1 cdta. de canela ● 10 cl de leche descremada ● Azúcar edulcorante en polvo

Lave y escurra las frambuesas. Licue las frutas, la leche y la canela hasta que haga espuma. Endulce al gusto con el azúcar edulcorante en polvo antes de beber el batido bien frío.

MENÚ DEL MEDIODÍA

- 1 porción de pan blanco
- Sesos escalfados con alcaparras*
- Lechuga con vinagreta ligera
- 1 porción de queso de cabra fresco
- 3 albaricoques
- Café o té sin azúcar

*Receta: sesos de cordero ● 1 cdta. de alcaparras ● 1 vaso de vinagre ● 1 ración de caldo corto ● 1/2 limón ● 1 cdta. de crema fresca

Remoje los sesos en el agua con vinagre durante unos minutos. Escálfelos 15 minutos en un caldo corto hecho con una porción de caldo corto y 1/2 litro de agua hirviendo. Escurra. Guarde los sesos calientes en el horno. Prepare una salsa con 2 cdas. de caldo corto, el jugo de limón y la crema. Bata bien todo y después añada las alcaparras. Bañe enseguida los sesos con la salsa.

MENÚ DE LA NOCHE

- 1 tazón de caldo de verduras
- Chucrut ligero*
- Ensalada de 2 tomates con vinagreta ligera
- Ensalada de frutas rojas (receta 3.5)
- Infusión

*Receta: 250 g de chucrut fresco ● 1 salchicha de Alsacia ● 1 rebanada muy fina de jamón

● 1 vaso grande de vino blanco de Alsacia ● 10 bayas de enebro ● 15 semillas de cilantro ● 20 semillas de alcaravea negra ● 1 vaso grande de caldo de verduras ● Pimienta

Vacíe el chucrut crudo en una cacerola de hierro con tapa que pueda usarse para el horno. Añada las bayas de enebro, el cilantro, la alcaravea negra. Agregue la pimienta. Bañe con el vino blanco y el caldo. Mezcle. El líquido debe cubrir el chucrut. Hornee 40 minutos (220 a 260 °C). Verifique la cocción de vez en cuando y déle vuelta al chucrut para que siempre esté húmedo. Después de los 40 minutos, añada la salchicha y el jamón enrollado, cúbralos con el chucrut y hornee 10 minutos más.

¡Además!

Consiéntase con un vaso de vino de Alsacia para acompañar el chucrut.

Balance del día

Alrededor de 1 300 kcal

20% de proteínas

25% de lípidos

55% de glúcidos

DELICIA DEL DÍA

Salsa española

Receta: 1/2 cebolla ● 1 zanahoria pequeña ● 1 rebanada fina de tocino ahumado (30 g) ● 1 cda. de harina ● 1 cdta. de mantequilla ● 3 cdtas. de crema fresca ● 1 vaso de caldo de verduras ● 1/4 de cubo de consomé ● Tomillo ● 1 hoja de laurel ● Sal y pimienta

Pique la cebolla, la zanahoria y el tocino. Dore 5 minutos en una cacerola untada con mantequilla y revuelva. Espolvoree con harina. Seque a fuego lento, después bañe con el vaso de caldo (de agua hirviendo y 1/4 de cubo de consomé). Cocine 5 minutos moviendo constantemente hasta obtener una salsa lisa. Rectifique la sazón. Si es necesario, pase la salsa por un colador para eliminar las impurezas.

SEMANA 3

DÍA 5

MENÚ DE LA MAÑANA

- ■ Café o té sin azúcar
- ■ *Corn flakes* con sandía*
- ■ I porción de pan blanco

*Receta: 150 g de queso blanco ● 10 cdas. de corn flakes ● I trozo de sandía ● 1/2 manzana ● I cdta. de miel

Corte las frutas en cubitos encima de un plato para que no se pierda el jugo. Mézclas con el queso blanco. Añada la miel. Sirva los *corn flakes* en el último momento.

MENÚ DEL MEDIODÍA

- ■ I porción de pan blanco
- ■ Filete de res *maître d'hôtel**
- ■ Lechuga con vinagreta ligera
- ■ I copa de ruibarbo (receta 6.7)
- ■ Café o té sin azúcar

*Receta: I filete de res ● 200 g de vainas de chícharos tiernos ● 30 g de mantequilla *maître d'hôtel* (receta 7.2)

Cocine los chícharos al vapor. Ase el filete de res en una sartén con revestimiento antiadherente. Presentar en una fuente con una nuez de mantequilla *maître d'hôtel* sobre la carne y las verduras colocadas alrededor.

MENÚ DE LA NOCHE

- ■ I tazón de caldo de verduras
- ■ Acelgas gratinadas*
- ■ Lechuga con limón
- ■ I porción de pan blanco
- ■ 1/2 melón
- ■ Infusión

*Receta: 200 g de tallos de acelgas ● 2 tomates ● I limón ● I porción de queso Tome rallado ● I cdta. de aceite ● I rebanada de jamón blanco ● I pizca de tomillo ● I hoja de laurel ● Sal y pimienta

Corte los tallos de acelgas en pedacitos y cocínelos en una cacerola con agua hirviendo con limón y sal de 15 a 20 minutos. Deben quedar firmes. Escurra. En una cacerola, haga un puré de tomate: corte los tomates en pedacitos y cocínelos 10 minutos con aceite revolviendo constantemente. Espolvoree con tomillo y laurel. En un plato refractario, ponga la rebanada de jamón, los tallos de acelga, bañe con el puré de tomate, espolvoree con Tome rallado. Gratine 5 minutos.

¡Además!

- Aromatice el medio melón de esta noche con 2 cdas. de oporto.
- Una hierba aromática: el tomillo común. Elemento del ramillete de hierbas aromáticas perfuma los guisos, las carnes de cocción larga. Resalta el sabor del conejo y del cordero. Ilumina las ensaladas veraniegas.

No olvide...

- Prepare esta noche la masa para crepas y déjela reposar hasta la mañana en el frigorífico. Estará más espesa y se cocerá más rápido. Las crepas tendrán un aspecto muy liso y sin huecos.
- Para desmoldar una bavaresa, remoje el molde en agua hirviendo unos segundos y voltéelo después sobre un plato.

> Balance del día
> Alrededor de 1 400 kcal
> 25% de proteínas
> 20% de lípidos
> 55% de glúcidos

DELICIA DEL DÍA

Ensalada de frutas rojas

Receta: **100 g de grosellas ● 100 g de frambuesas ● 200 g de sandía ● 3 cdas. de Kirsh ● Azúcar edulcorante en polvo**

Corte la sandía en pedacitos encima de la ensaladera para no perder el jugo. Añada las grosellas y las frambuesas bien lavadas y escurridas. Endulce con azúcar edulcorante en polvo. Rocíe con Kirsh. Deje reposar 15 minutos en un lugar fresco. Pueden agregarse unas hojas de menta fresca finamente cortadas.

SEMANA 3 — DÍA 6

MENÚ DE LA MAÑANA

- Café o té sin azúcar
- Granola con compota de castañas*
- 1 rebanada de sandía

*Receta: 6 cdas. de granola sin azúcar ● 10 cl de leche ● 5 cdas. de compota de castañas (sobrantes 2.1) ● Azúcar edulcorante en polvo

Ponga la granola sin azúcar en un plato hondo; bañe con la leche tibia. Deje reposar unos minutos. Añada la compota de castañas hecha previamente y mezcle. Endulce al gusto con azúcar edulcorante en polvo.

MENÚ DEL MEDIODÍA

- Atún rojo en salsa de calabacitas*
- Lechuga con vinagreta ligera
- *Aumônier* de moras (receta 7.6)
- Café o té sin azúcar

*Receta: 1 rodaja de atún rojo ● 3 calabacitas ● 1 cda. de crema fresca ● 1 cdta. de estragón ● Perejil fresco picado ● 6 gotas de salsa Tabasco ● 1/2 pimiento ● Sal y pimienta

Prepare la salsa de calabacitas: lave y pele las calabacitas. Córtelas en rodajas finas y cuézalas al vapor 15 minutos. Mezcle añadiendo la crema y la salsa Tabasco. Sazone. Añada el estragón y el perejil finamente picados. Sirva tibio o frío. En una sartén con revestimiento antiadherente untada con aceite, ase el atún por ambos lados con el pimiento picado en tiras finas. Agregue pimienta. Bañe con la salsa de calabacitas.

MENÚ DE LA NOCHE

- 1 tazón de caldo de verduras
- Pizza de huevos y cebollas*
- Lechuga con limón
- 1 rebanada de sandía
- Infusión

*Receta: 3 panes tostados ● 2 huevos ● 1 tomate ● 1/2 pimiento ● 1 cebolla ● 2 champiñones ● 1 cda. de leche descremada ● 1 pizca de tomillo ● Laurel ● Ajedrea picada

En un recipiente bata los huevos, el pan molido (muela los panes tostados) y vierta la leche poco a poco. Debe obtenerse una masa seca. Cuando la masa tenga la consistencia correcta, deje de añadir leche. Extienda la masa en un molde antiadherente. Licue el tomate y seque ligeramente el puré en una cacerola a fuego lento. Agregue los champiñones rebanados y el pimiento cortado en tiritas. Cocine a fuego lento 15 minutos. Extienda esta preparación sobre la masa y hornee 40 minutos (220 °C). Espolvoree con hierbas de Provenza (tomillo, laurel, ajedrea) picadas. Vigile la cocción.

¡Además!

El siguiente es un muy buen consejo para dormir bien: coma ligero en la noche y espere por lo menos 90 minutos después de haber terminado de comer.

No olvide...

Guarde 1 crepa para mañana.

Quite la cáscara de naranja del *aumônier* de moras y póngala sobre un naranja del plato de frutas. La pulpa de la naranja se consumirá más tarde.

Balance del día

Alrededor de 1 400 kcal
25% de proteínas
20% de lípidos
55% de glúcidos

DELICIA DEL DÍA

Cóctel latigazo

Receta: 1/4 de pimiento ● 2 tomates grandes ● 1 limón

Pele 1/4 de pimiento, los tomates y el limón y licue añadiendo poco a poco 10 cdas. de agua.

SEMANA 3

MENÚ DE LA MAÑANA

- ■ Café o té sin azúcar
- ■ Yogur con cereales y ciruelas*
- ■ 1 durazno

*Receta: 1 yogur ● **4 ciruelas** ● **6 cdas. de hojuelas de avena** ● **1/2 limón** ● **Azúcar edulcorante en polvo**

Corte las frutas en cubitos, rocíe con el jugo de limón. Endulce con azúcar edulcorante. Mezcle con las hojuelas de avena. Ponga todo sobre el yogur.

MENÚ DEL MEDIODÍA

- ■ Tomates rellenos*
- ■ Lechuga con vinagreta ligera
- ■ 100 g de queso blanco
- ■ Café o té sin azúcar

*Receta: 2 tomates ● **120 g de carne de res molida** ● **30 g de miga de pan blanco** ● **Perejil fresco picado** ● **Sal y pimienta**

Corte las tapas de los tomates y vacíelos con cuidado sin perforar el fondo. Salpimiente los fondos. Prepare el relleno mezclando la carne molida con la miga de pan y parte de la pulpa de los tomates (separe 1/4 de la pulpa de los tomates). Añada el perejil. Rellene. Cubra con el resto de la pulpa de tomate. Coloque nuevamente las tapas. Ponga los tomates en un refractario con un pedazo de papel de aluminio para que no se volteen. Hornear alrededor de 30 minutos (220 a 260 °C). Rocíe los tomates de vez en cuando.

MENÚ DE LA NOCHE

- ■ 1 tazón de caldo de verduras
- ■ Lija empanizado a la italiana*
- ■ Lechuga con limón
- ■ Crepa ligera con crema inglesa (receta 1.3)
- ■ 1 rebanada de sandía
- ■ Infusión

*Receta: 1 trozo de lija ● **1 huevo** ● **1 pan tostado** ● **1 cda. de aceite** ● **2 cda. de parme-**

DÍA 7

sano ● **1 pizca de pimentón (paprika)** ● **200 g de espinacas frescas** ● **Sal y pimienta**

Cueza las espinacas en una cacerola grande de agua hirviendo con sal. Escurra. Guarde en un lugar caliente. Mezcle bien en un plato el queso parmesano y el pan molido. En otro plato, vacíe el huevo batido. Caliente una sartén. Pase sucesivamente el trozo de lija empanizado por el huevo y después por el pan molido (repetir 3 veces). Ponga el aceite en la sartén caliente y luego fría la lija empanizada; voltéela frecuentemente. Cuando esté lista, preséntela sobre una cama de espinacas espolvoreada con pimentón.

¡Además!

Consiéntase con 2 "fresas tagada" como recuerdo de la infancia.

No olvide...

Hay que ser consciente de que la pérdida de peso no es regular día a día. No debe pesarse todos los días, sino una vez a la semana en traje de Eva o de Adán, lo que permite tomar verdaderamente conciencia de los progresos.

Balance del día
Alrededor de 1 400 kcal
25% de proteínas
20% de lípidos
55% de glúcidos

DELICIA DEL DÍA

Mantequilla de ajo

Receta: **1 diente de ajo** ● **1 cdta. de mantequilla**

Pele el ajo, blanquéelo 10 minutos en agua hirviendo; macháquelo. Deje enfriar y mezcle con la mantequilla. Sale ligeramente.

semana 4

LISTA DE LAS COMPRAS DE LA SEMANA 4

Los sobrantes de la semana anterior

3 porciones de queso cantal
1 porción de queso Tome
1/2 melón
1 naranja
Se utilizarán esta semana.

Comestibles

1 lata de arenque en escabeche
(3 arenques en escabeche)
6 huevos de codorniz
8 huevos

Panadería

1 pan integral
1 panecillo de leche

Bebidas

¡No olvide el agua!
1 botella de buen vino blanco
de mesa

Hierbas aromáticas frescas

Perifollo
Salvia
Cebollín

Infusión de hierbas

Fresa

Verduras

1 cabeza de ajo
1 alcachofa (alcahucil)
1 berenjena
2 zanahorias
1 apio entero
11 champiñones
1 coliflor pequeña
1 pepino
1 echalote
100 g de espinacas
1 bulbo de hinojo
400 g de ejotes
1 manojo de milamores
2 cebollas
1 manojo de perejil fresco
1 pimiento
1 papa
200 g de calabaza (zapallo)
2 lechugas pequeñas con corazones blancos
5 tomates

Frutas

13 albaricoques
4 nectarinas
300 g de grosella (casis)
25 cerezas
4 limones
2 naranjas
2 toronjas
3 duraznos
2 duraznos blancos
2 peras
2 kiwis
200 g de ruibarbo

Lácteos

125 g de mantequilla
500 g de queso blanco
2 litros de leche descremada
6 quesos tipo petit-suisse
1 queso de cabra fresco (80 g)
(2 porciones de peso medio)
1 bote de 50 g de crema
fresca
1 yogur búlgaro
1 yogur
queso parmesano (40 g)

Carnicería

Comprar las carnes y el
pescado a medida que se
necesiten, el día anterior a su
consumo.

PRIMER DÍA

1 medallón de res (120 g de
peso medio)

SEGUNDO DÍA

120 g de codillo de res cortado en láminas finas (*carpaccio*)

TERCER DÍA

150 g de costillas de cerdo

QUINTO DÍA

1 rebanada de jamón crudo
(80g)
130 g de filetón de lomo

SEXTO DÍA

1 escalopa de ternera (unos
120 g)

SÉPTIMO DÍA

1 pulpeta de ternera (unos
140 g)

Pescadería

PRIMER DÍA

Filetes de lenguado (unos
140 g)

SEGUNDO DÍA

1 bacalao fresco
100 g de rescaza

CUARTO DÍA

2 filetes de platija (unos 180 g)

SÉPTIMO DÍA

6 langostinos (camarones)

Varios

■ Prepare por adelantado 2
litros de caldo de verduras
para las noches de la semana.
■ Prevea 3 lechugas como
acompañamiento de las comidas de la semana.
■ No olvide llenar el frigorífico con "antiantojos".
■ Verifique que no falte nada
en la "despensa ideal".

SEMANA 4

MENÚ DE LA MAÑANA

- Café o té sin azúcar
- Batido de durazno*
- 1 porción de pan integral con mantequilla (2 rebanadas finas de pan con 1 cdta. de mantequilla)

*Receta: 1 durazno ● 10 cl de leche descremada ● 1 cdta. de canela ● Azúcar edulcorante en polvo

Pele la fruta y quítele el hueso. Corte el melocotón en pequeños trozos. Licue juntos la fruta, la leche y la canela hasta que haga espuma. Endulce al gusto con azúcar edulcorante justo antes de tomar.

MENÚ DEL MEDIODÍA

- 1 porción de pan integral
- *Steak* bridado*
- 1 alcachofa con vinagreta ligera
- *Mousse* de duraznos (receta 4.1)
- Café o té sin azúcar

*Receta: 1 medallón de res ● 1 cubo de consomé

Retire la grasa. Ate el medallón de res con un cordel de cocina dejando un extremo libre de 30 cm para poder remojar la carne en el caldo y retirarla fácilmente. En una cacerola, prepare 1 litro de caldo con el cubo de consomé y el agua. Remoje el medallón de res y cocínelo al gusto de 5 a 8 minutos en el caldo hirviendo.

MENÚ DE LA NOCHE

- 1 tazón de caldo de verduras
- Filete de lenguado relleno*
- Lechuga con limón
- 1 porción de queso cantal
- 1 porción de pan integral
- Infusión

*Receta: Los filetes de 1 lenguado ● 6 champiñones ● 100 g de espinacas ● 1/2 vaso de vino blanco ● 1 huevo ● Tomillo ● Laurel ● Sal y pimienta

DÍA 1

Prepare un relleno cortando 3 champiñones, 50 g de espinacas, 1 huevo duro, y revuelva hasta que quede una mezcla muy homogénea. Extienda los filetes de lenguado, úntelos con el relleno y enrróllelos. Átelos bien en cruz con un cordel para que se mantengan atados durante la cocción. En un plato refractario, ponga los filetes enrollados; bañe con el vino. Añada el resto de los champiñones picados alrededor y hornee 20 minutos (de 200 a 240 °C). Retire el cordel una vez terminada la cocción. Presentar con el resto de las espinacas cocidas en una cacerola grande con agua hirviendo con sal.

¡Además!

Con la yema de huevo que sobró del *mousse* de duraznos, prepare una crema inglesa ligera: bata la yema de huevo con un vasito de leche, endulce con azúcar edulcorante líquida resistente al calor. Cocine a fuego lento sin dejar de revolver. Vacíe caliente sobre el *mousse* frío.

No olvide...

Nunca se salte el desayuno, que garantiza que esté en forma y con ánimo todo el día.

Balance del día

Alrededor de 1 500 kcal

30% de proteínas

15% de lípidos

55% de glúcidos

DELICIA DEL DÍA

Mousse de duraznos

Receta: 2 duraznos blancos ● 2 claras de huevo ● Vainilla en polvo ● 1/2 cdta. de azúcar edulcorante en polvo

Cocine el durazno en una cacerola con 3 cdas. de agua después de haberlo pelado, deshuesado y cortado en trozos. Añada la vainilla durante la cocción. Aplaste la fruta con un tenedor. Bata las claras de huevo a punto de turrón. Mezcle la compota fría con las claras de huevo; endulce al gusto con azúcar edulcorante. Consuma 30 minutos después de su preparación.

SEMANA 4

DÍA 2

MENÚ DE LA MAÑANA

- Café o té sin azúcar
- *Crumble* de cereza*
- 1/2 melón

*Receta: 1 queso tipo petit-suisse ● 1 clara de huevo ● 3 cdas. de hojuelas de avena ● 5 cdas. de corn flakes ● 3 cdas. de granola sin azúcar ● 1 pan tostado ● 15 cerezas ● 1 punta de canela en polvo ● Azúcar edulcorante líquida resistente al calor

Ponga las frutas lavadas y cortadas en dos en un refractario (deshuese encima del plato para no perder el jugo). Bata el queso tipo petit-suisse y las claras de huevo. Añada los diferentes cereales. Agregue unas gotas de azúcar edulcorante al gusto. Vierta la crema sobre las frutas cubriéndolas por completo, espolvoree con canela y pan molido (muela el pan tostado). Gratine 10 minutos. Vigile mientras se hornea.

MENÚ DEL MEDIODÍA

- 1 porción de pan integral
- *Carpaccio* y champiñones en ensalada*
- Lechuga con vinagreta ligera
- 1 porción de queso Tome
- 3 albaricoques
- Café o té sin azúcar

*Receta: 1 porción de codillo de res ● 1 cdta. de aceite de oliva ● 1 cdta. de queso parmesano ● 5 champiñones ● jugo de 1 limón

Corte la carne en láminas muy finas. Ponga las rebanadas en un plato. Mezcle el limón y el aceite. Unte la carne con la mezcla. Espolvoree con un poco de queso parmesano rallado. Rebane los champiñones. Rocíe con jugo de limón y preséntelos al centro del plato. Salpique con una vuelta de pimienta recién molida.

MENÚ DE LA NOCHE

- 1 tazón de caldo de verduras
- *Aïgo sauo* a la provenzal con crutones*
- Lechuga con limón
- 100 g de queso blanco
- Infusión

*Receta: 1 trozo de bacalao fresco ● 1 trozo de rescaza ● 1/2 cebolla ● laurel ● Tomillo ● 1 bulbo de hinojo ● 1 cascarita de naranja ● 1 diente de ajo ● Perejil fresco picado ● Crutones ligeros (receta 12.2)

Corte el pescado en trozos. Hierva en 1 litro de agua durante 15 minutos la media cebolla rebanada, el tomillo, la hoja de laurel, el hinojo cortado en 5 o 6 pedazos, la cáscara de naranja y el ajo picado. Añada el pescado y cocine 10 minutos a fuego lento. Espolvoree con perejil. Sirva el caldo con los crutones y el pescado aparte con el hinojo como verdura de acompañamiento.

¡Además!
Una infusión: la fresa.

Las hojas secas de la fresa componen esta infusión ligeramente amarga. Mezcladas con 2 hojas de menta o con 2 flores de rosa mosqueta por taza es una bebida muy relajante. Sus virtudes diuréticas y astringentes son reconocidas.

No olvide...

Para el *aïgo sauo* a la provenzal de esta noche, tome la cáscara de una naranja del plato de frutas; la pulpa se consumirá más tarde.

Balance del día
Alrededor de 1 300 kcal
30% de proteínas
15% de lípidos
55% de glúcidos

DELICIA DEL DÍA

Salsa de rábano picante

Receta: 50 g de queso blanco ● 1/2 yogur ● 1 yema de huevo ● 1 cdta. de mostaza ● 1 cdta. de rábano en puré ● 1 pizca de perejil fresco picado ● Sal

Mezcle todos los ingredientes vigorosamente. Sale al gusto. Espolvoree con perejil fresco picado.

SEMANA 4

DÍA 3

MENÚ DE LA MAÑANA

■ Café o té sin azúcar
■ *Strudel* de cereza y pera*

*Receta: I yema de huevo ● 3 cdas. de leche descremada ● 2 cdas. de harina integral ● 2 cdas. de mantequilla ● I cdta. de almendras molidas ● I pizca de canela ● Azúcar edulcorante líquida resistente al calor ● I pizca de vainilla en polvo ● 10 cerezas ● I/2 pera

Bata la yema de huevo con unas gotas de azúcar. Añada las almendras molidas y la vainilla, luego la leche descremada. Reserve la crema. Derrita la mantequilla en una cacerola. Retire del fuego y añada la harina, endulce con unas gotas de azúcar y agregue la canela. Mezcle. La mezcla debe estar granulosa. En un refractario, ponga las frutas en pedazos, cubra con la crema y espolvoree con la mezcla. Vigile mientras se gratina 10 minutos, pues se hornea muy rápido. Los pedazos de pasta deben estar dorados.

MENÚ DEL MEDIODÍA

■ I porción de pan integral
■ Costillas de cerdo a la salvia con corazones de lechuga braseados*
■ I toronja
■ Café o té sin azúcar

*Receta: I trozo de costillas de cerdo ● 3 avellanas ● I diente de ajo ● 3 hojas de salvia ● Perejil fresco picado ● 4 cdas. de vino blanco ● I/2 cdta. de fondo de ave ● 2 corazones de lechuga ● Sal y pimienta

Corte las costillas de cerdo en 2 o 3 pedazos. Pique el ajo. Triture las avellanas. Fría la carne en una sartén con revestimiento antiadherente. Use papel absorbente para quitar la grasa que dejó la carne en la sartén. Ponga nuevamente la carne en la sartén. Bañe con un vaso de agua caliente con el fondo de ave disuelto. Añada el vino blanco, el ajo machacado, el perejil fresco picado. Salpimiente. Tape y cocine a fuego lento 20 minutos. Revuelva de vez en cuando. Añada las avellanas y la salvia picada. Cocine 5 minutos. Retire la carne; manténgala caliente. Cocine 10

minutos en la salsa los corazones de lechuga lavados y bien escurridos.

MENÚ DE LA NOCHE

■ I tazón de caldo de verduras
■ Pepino con arenque en escabeche*
■ Lechuga con limón
■ I porción de queso de cabra fresco
■ I porción de pan integral
■ 3 albaricoques
■ Infusión

*Receta: I/2 pepino ● 3 arenques en escabeche ● I cdta. de crema fresca ● Pimienta

Corte en rodajas finas el pepino previamente pelado. Escurra los arenques en escabeche. Córtelos en tiras a lo ancho. Mezcle la crema con 3 cdtas. del escabeche. Añada pimienta. Revuelva todo en una ensaladera. No ponga sal, los arenques ya están salados.

¡Además!
Consiéntase con un caramelo.

No olvide...
Prepare la mermelada de ruibarbo a la naranja para mañana por la mañana.

Balance del día
Alrededor de I 400 kcal
35% de proteínas
25% de lípidos
40% de glúcidos

DELICIA DEL DÍA

Pastel de albaricoques

Receta: 20 cl de leche descremada ● I cdta. de harina de trigo ● 3 albaricoques ● I huevo ● Azúcar edulcorante en polvo

En una ensaladera, bata el huevo, las 2 cdtas. de azúcar edulcorante y la harina. Cuando la mezcla espume, añada la leche poco a poco en chorrito y mezcle hasta obtener una pasta homogénea. Lave, pele, deshuese y corte en pedazos las frutas. Añada los pedazos a la mezcla. Vacíe en un plato refractario. Hornee 30 minutos (200 a 240 °C).

SEMANA 4

DÍA 4

MENÚ DE LA MAÑANA

■ **Panecillo de leche con mermelada de ruibarbo a la naranja***

■ I toronja

***Receta: I panecillo de leche** ● **I cda. generosa de mermelada de ruibarbo a la naranja (receta 4.4)**

Unte el panecillo partido a la mitad con la mermelada.

MENÚ DEL MEDIODÍA

■ I porción de pan integral
■ Platija en salsa de coñac*
■ Lechuga con vinagreta ligera
■ Pastel de albaricoques (receta 4.3)
■ Café o té sin azúcar

***Receta: 2 filetes de platija** ● **50 g de salsa de coñac (receta 5.1)** ● **I corazón de apio**

Descabece el manojo de apio y conserve la parte más blanca. Cocine el corazón de apio al vapor. Cueza los filetes de platija "al plato" 15 minutos. Prepare la salsa. Presente en una fuente el pescado y el corazón de apio bañados con la salsa.

MENÚ DE LA NOCHE

■ I tazón de caldo de verduras
■ Ensalada de huevos de codorniz*
■ I porción de queso cantal
■ 2 nectarinas
■ I porción de pan integral
■ Infusión

***Receta: 6 huevos de codorniz** ● **I/2 manojo de milamores** ● **I pizca de queso parmesano** ● **jugo de I limón** ● **I cdta. de aceite de oliva** ● **Sal y pimienta**

Cueza los huevos de codorniz hasta que estén duros en una cacerola con agua hirviendo. Páselos por agua fría y quíteles la cáscara. En una ensaladera, prepare la salsa con el aceite y el jugo de limón. Salpimiente. Añada el milamores bien lavado y escurrido, y los huevos en mitades. Espolvoree con parmesano.

¡Además!
- Una mezcla de especias: las cuatro especias. Es una mezcla clásica de la cocina y la pastelería: clavo, nuez moscada, canela y pimienta molida. Se utiliza en carnes como el cerdo y el pato (es la mezcla clave del pato laqueado). Con unos gramos de azúcar, estas especias cobran toda su fuerza en la cocina.
- Una infusión: el tomillo.
Más conocido como hierba aromática para los guisos y los pucheros, el tomillo es una hierba medicinal de múltiples virtudes. Antiséptica y vivificante, ayuda a combatir los malestares del otoño; refuerza las defensas inmunitarias. Su gusto pronunciado y suave, ligeramente amargo, es muy agradable para beber por las mañanas en ayunas.

No olvide...
Vacíe el resto de la mermelada en un frasco herméticamente cerrado y guárdelo en la parte más fría del frigorífico para su uso el día 6.1.

Balance del día
Alrededor de I 300 kcal
25% de proteínas
20% de lípidos
55% de glúcidos

DELICIA DEL DÍA

Mermelada de ruibarbo a la naranja

Receta: **200 g de ruibarbo** ● **I/2 naranja** ● **2 cdas. de azúcar edulcorante líquida resistente al calor** ● **I hoja de gelatina**

Vacíe los trozos de ruibarbo en una cacerola. Bañe con el jugo de I/2 naranja y endulce con el azúcar edulcorante. Cocine el ruibarbo 20 minutos revolviendo constantemente. Después de los 20 minutos, añada la hoja de gelatina remojada en el agua fría para ablandarla. Incorpórela a la confitura. Deje hervir 5 minutos revolviendo constantemente para que se derrita. Ponga a enfriar en un tazón al menos 60 minutos (una noche de ser posible).

SEMANA 4

MENÚ DE LA MAÑANA

■ Café o té sin azúcar
■ Panes tostados, queso blanco y compota de grosella (casis)*
■ 2 nectarinas

*Receta: 2 panes tostados ● 100 g de queso blanco ● 3 cdas. de granola sin azúcar ● 100 g de grosella (casis) ● 1/2 cdta. de vainilla en polvo ● Azúcar edulcorante en polvo

Prepare la compota de grosella: cueza las bayas de grosella en una cacerola con 1/5 de vaso de agua hasta que las frutas estén reducidas a puré. Añada la vainilla durante de la cocción. Endulce al gusto con azúcar edulcorante en polvo una vez cocido. Revuelva constantemente para evitar que se pegue la compota. Si es necesario, añada un poco de agua. Mezcle la granola con el queso blanco aromatizado con la compota de grosella fría. Extienda la mezcla sobre los panes tostados y pruebe.

MENÚ DEL MEDIODÍA

■ 1 porción de pan integral
■ Puchero al minuto*
■ Lechuga con vinagreta ligera
■ 1 batido de grosella (casis) (receta 2.4)
■ Café o té sin azúcar

*Receta: 1 trozo de filetón de lomo ● 1/2 cubo de consomé ● 200 g de ejotes ● 1 zanahoria ● 1 papa ● Perejil fresco picado ● 1 hoja de laurel ● Sal y pimienta

Pele la papa y córtela en dados grandes. Enseguida, pele los ejotes y córtelos a la mitad. Haga lo mismo con la zanahoria y córtela en bastoncitos delgados. Corte igualmente el trozo de filetón de lomo en dados grandes. Vacíe los ingredientes en una cacerola con 1 vaso de caldo (1/2 cubo de consomé y agua hirviendo). Salpimiente. Añada 1 hoja de laurel. Cueza a fuego vivo 15 minutos. Verifique que esté bien cocido y espolvoree con perejil fresco picado.

DÍA 5

MENÚ DE LA NOCHE

■ 1 tazón de caldo de verduras
■ Verduras en salsa cóctel*
■ 1 porción de cantal
■ 1 porción de pan integral
■ Infusión

*Receta: 1 tomate ● 5 ramas de apio ● 1 zanahoria ● 5 ramitos de coliflor ● 1/2 pepino ● 100 g de salsa cóctel (receta 8.3) ● 1 rebanada de jamón crudo

Lave y escurra las verduras; córtelas en trozos del tamaño de un bocado. Prepare la salsa cóctel que se explica en la receta 8.3. Presente las verduras crudas en una fuente con el jamón en medio y la salsa aparte.

¡Además!
Pequeño consejo adelgazante: ¿por qué terminarse el plato a toda costa cuando ya no le apetece…?

No olvide...
Prepare la bavaresa a la grosella para mañana al mediodía según la receta 4.6.

Balance del día
Alrededor de 1 400 kcal
25% de proteínas
20% de lípidos
55% de glúcidos

DELICIA DEL DÍA

Postre de piña (ananá) con frambuesa

Receta: 2 rebanadas de piña ● 50 g de frambuesa ● 1 queso tipo petit-suisse ● Azúcar edulcorante en polvo

Licue la piña pelada y endúlcela con azúcar edulcorante en polvo. Ponga el queso tipo petit-suisse en un tazón. Añada la piña licuada. Coloque las frambuesas. Mezcle los ingredientes. Sirva bien frío. Se puede agregar 1 cda. de crema de grosella para aromatizar.

SEMANA 4

MENÚ DE LA MAÑANA

Café o té sin azúcar
Queso blanco al cacao*
1 porción de pan integral con mantequilla
(2 rebanadas finas de pan con 1 cdta. de mantequilla)
1 naranja

*Receta: 100 g de queso blanco ● 1 cda. de cacao sin azúcar ● Azúcar edulcorante en polvo

Espolvoree el queso blanco con cacao sin azúcar; endulce al gusto con azúcar edulcorante en polvo. Si se dispone de un sobrante de plátano, añádalo, su sabor será inimitable.

MENÚ DEL MEDIODÍA

1 porción de pan integral
Escalopa de ternera en salsa de mostaza*
Lechuga con vinagreta ligera
Bavaresa a la grosella (casis) (receta 4.6)
■ Café o té sin azúcar

*Receta: 1 escalopa de ternera ● 100 g de salsa de mostaza (receta 8.4) ● 200 g de ejotes

Ase el escalopa de ternera en una sartén con revestimiento antiadherente. Prepare la salsa de mostaza (receta 8.4) Cueza los ejotes al vapor.

MENÚ DE LA NOCHE

1 tazón de caldo de verduras
Caponata*
Lechuga con limón
100 g de queso blanco
1 porción de pan integral
Infusión

*Receta: 1 berenjena ● 2 tomates ● 1 pimiento ● 1 cebolla ● 1 rama de apio ● 1 cdta. de alcaparras ● 5 cdas. de vinagre ● Sal y pimienta

Pele la berenjena y córtela en dados. Dore los trozos en una sartén con revestimiento antiadherente untada con aceite, y déles vuelta constantemente. Escurra. Corte el pimiento en tiras finas y dórelo en la misma sartén. Escurra. Rebane la cebolla y dórela en la sartén.

DÍA 6

Coloque los tomates en cuartos y la rama de apio cortada en pedacitos. Rocíe con 5 cdas. de agua. Cocine hasta que se evapore el jugo. Añada las berenjenas, los pimientos, las alcaparras y el vinagre. Salpimiente. Tape y cueza a fuego lento 15 minutos. Enfríe en el frigorífico 15 minutos.

¡Además!

Consiéntase con una magdalena para acompañar el té o el café.

No olvide...

Separe 1 trozo de pepino de 5 cm para la salsa del último día de la semana.

Balance del día

Alrededor de 1 300 kcal
25% de proteínas
20% de lípidos
55% de glúcidos

DELICIA DEL DÍA

Bavaresa de grosella (casis)

Receta: **100 g de grosella (casis)** ● **30 g de leche descremada en polvo** ● **3 hojas de gelatina** ● **Azúcar edulcorante en polvo**

Reduzca las grosellas a puré. Añada la leche diluida y endulce al gusto con azúcar edulcorante. Si es necesario, bata hasta obtener una mezcla muy tersa. Cuele la mezcla de grosellas con leche y presione bien la pulpa para eliminar los desechos. Remoje las hojas de gelatina en agua fría 5 minutos para ablandarlas y después derrítalas en una cacerola al fuego unos minutos con 3 o 4 cdas. de agua. Revuelva constantemente. Añada la gelatina a la mezcla y ponga en un molde. Deje en el frigorífico de 5 a 6 horas.

SEMANA 4

MENÚ DE LA MAÑANA

- Café o té sin azúcar
- 1 huevo duro
- Compota de duraznos*
- 1 porción de pan integral con mantequilla (2 rebanadas finas de pan con 1 cdta. de mantequilla)
- 2 kiwis

***Receta: 2 duraznos ● 1/2 cdta. de vainilla en polvo ● Azúcar edulcorante en polvo**

Pele las frutas. Córtelas en trozos y cocínelas en una cacerola con 1/4 de vaso de agua hasta que las frutas estén reducidas a puré; añada la vainilla durante la cocción. Una vez cocida, endulce al gusto con azúcar edulcorante en polvo. Revuelva constantemente en la cacerola para evitar que se pegue la compota; si es necesario, añada un poco de agua.

MENÚ DEL MEDIODÍA

- 1 porción de pan integral
- Pulpeta de ternera con calabaza*
- Lechuga con vinagreta ligera
- Albaricoque a la inglesa (receta 4.7)
- Café o té sin azúcar

***Receta: 1 pulpeta de ternera ● 200 g de calabaza ● 1 cdta. de concentrado de tomate ● 1/2 cubo de caldo ● Sal y pimienta**

Ponga la pulpeta de ternera en una cacerola con un vaso de caldo (1/2 cubo de consomé) y 1 cdta. de concentrado de tomate. Salpimiente. Tape y cueza durante 15 minutos a fuego lento. Voltee de vez en cuando. Saque la pulpeta de la cacerola y reserve en un lugar caliente. Corte los 200 g de calabaza en cubos y cuézalos 15 minutos en el jugo en que se coció la pulpeta. Añada 1 vaso de agua a la cacerola.

MENÚ DE LA NOCHE

- 1 tazón de caldo de verduras
- Coliflor con langostinos*
- Lechuga con limón
- 100 g de queso de cabra fresco

DÍA 7

- 1 pera
- 1 porción de pan integral
- Infusión

***Receta: 8 ramitos de coliflor ● 6 langostinos ● Salsa picante con yogur (receta 2.5)**

Cueza los ramitos de coliflor en una cacerola grande con agua con sal durante 15 minutos. Deje enfriar. Dispóngalos en un plato; presente la salsa en un tazón aparte. Ponga los langostinos 5 minutos en el agua de la coliflor. Escurra.

¡Además!

Un vaso de vino blanco frío para acompañar las pulpetas de ternera con calabaza de la comida del mediodía.

No olvide...

Para conservar el sabor de la papa, cuézala al vapor con la piel, sale ligeramente el agua del fondo de la olla y no la pele hasta el momento de servir.

Balance del día

Alrededor de 1 300 kcal
40% de proteínas
20% de lípidos
40% de glúcidos

DELICIA DEL DÍA

Albaricoques a la inglesa

***Receta: 4 albaricoques ● 1 cdta. de azúcar en polvo ● Azúcar edulcorante líquida resistente al calor**

Lave y parta los albaricoques en mitades. Retire los huesos. En una cacerola grande con agua hirviendo endulzada con 1/2 cdta. de azúcar edulcorante líquida, ponga las mitades de albaricoque y hierva 10 minutos. Retírelos con una espumadera. Colóquelos en un plato. Espolvoree inmediatamente con el azúcar en polvo. Sirva frío.

semana 5

LISTA DE COMPRAS DE LA SEMANA 5

Los sobrantes de la semana anterior

2/3 de mantequilla
5 quesos tipo petit-suisse
1/2 manojo de milamores
1/2 cabeza de ajo
Se utilizarán esta semana.

Comestibles

1 lata de 100 g de camarones rosados
1 lata pequeña de piña rebanada en almíbar ligero (10 rebanadas máximo)
10 huevos

Panadería

1 pan integral

Bebidas

¡No olvide el agua!
1 botella de buen vino tinto de mesa
2 jugos de tomate (200 g x 2) sin azúcar

Hierbas aromáticas frescas

Perifollo
Albahaca
Menta
Estragón

Infusión de hierbas

Verbena

Verduras

2 alcachofas
1 berenjena pequeña
1 manojo de brócoli
3 zanahorias
3 ramas de apio
5 champiñones
300 g de tallos de acelgas con sus hojas
1 calabacita
1 manojo de berro
200 g de espinacas
200 g de ejotes
2 cebollas amarillas
2 cebollas blancas
1 manojo de perejil fresco
200 g de vainas de chícharos tiernos
1 pimiento
2 papas
9 tomates, uno de ellos grande

Frutas

5 albaricoques
200 g de grosellas (casis)
20 cerezas
10 limones
100 g de frambuesas
100 g de fresas
1 mango
1 melón
3 naranjas
1 toronja
5 duraznos
1 pera
4 manzanas
8 ciruelas

Lácteos

1 bote de 50 g de crema fresca
500 g de queso blanco
1 litro de leche descremada
1 bloque de tofu (máximo 160 g)
4 yogures búlgaros
1 queso feta (60 g)
1 queso de cabra fresco (80 g) (2 porciones de peso medio)
1 queso Coulommiers

Carnicería

Compre las carnes y el pescado a medida que se necesiten, el día anterior a su consumo.

SEGUNDO DÍA

120 g de hígados de ave

TERCER DÍA

120 g de carne de res molida

QUINTO DÍA

30 g de jamón crudo
30 g de carne de res molida
1 escalopa de ternera (unos 120 g)

SEXTO DÍA

1 costilla de ternera (unos 140 g)

SÉPTIMO DÍA

2 chuletitas de cordero (unos 140 g)

Pescadería

PRIMER DÍA

150 g de rape (unos 140 g)
120 g de camaroncitos rosados

CUARTO DÍA

1 filete de rodaballo (unos 130 g)

SÉPTIMO DÍA

1 rodaja de salmón fresco (140 g)

Varios

■ Prepare por adelantado 2 litros de caldo de verduras para las noches de la semana.
■ Prevea 3 lechugas como acompañamiento de las comidas de la semana.
■ No olvide llenar el frigorífico con "antiantojos".
■ Verifique que no falte nada en la "despensa ideal".

SEMANA 5

DÍA 1

MENÚ DE LA MAÑANA

- Café o té sin azúcar
- Hojuelas de avena con manzana*
- 1 jugo de tomate

*Receta: **4 cdas. de hojuelas de avena** ● **1 vaso de leche descremada** ● **1 yogur búlgaro** ● **el jugo de 1/4 de limón** ● **1 cdta. de avellanas trituradas** ● **1 cda. de uvas pasas claras** ● **1/2 manzana** ● **Azúcar edulcorante en polvo**

Ralle la manzana pelada y rocíela inmediatamente con jugo de limón para que no se oscurezca. Ponga en un plato las hojuelas de avena y bañe con la leche. Añada todos los ingredientes. Mezcle. Endulce al gusto con azúcar edulcorante.

MENÚ DEL MEDIODÍA

- 1 porción de pan integral
- Rape en salsa *gribiche**
- Ensalada de milamores (1/2 manojo) con vinagreta ligera
- 1 porción de queso Coulommiers
- Café o té sin azúcar

*Receta: **1 trozo de rape** ● **100 g de salsa *gribiche* (receta 5.2)** ● **200 g de tallos de acelga** ● **1 caldo corto**

Escalfe el pescado en una cacerola llena de caldo corto y hierva 15 minutos. Cueza los tallos de acelgas al vapor. Prepare la salsa.

MENÚ DE LA NOCHE

- 1 tazón de caldo de verduras
- Corazones de alcachofas con camarones*
- Lechuga con limón
- 1 queso tipo petit-suisse
- 1/2 melón
- 1 porción de pan integral
- Infusión

*Receta: **2 corazones de alcachofas** ● **120 g de camaroncitos rosados** ● **60 g mayonesa ligera (receta 9.3)** ● **1 tomate**

Deshoje las alcachofas y retire la pelusa. Cueza los corazones en una cacerola grande con agua

con sal durante 15 minutos. Páselas por agua fría y escurra. Cueza en la misma agua las hojas de las alcachofas 10 minutos. Escurra. Prepare la mayonesa ligera; si es necesario reálcela con pimienta. Rellene cada corazón de alcachofa con una cucharada de mayonesa y los camarones pelados. Sirva las hojas aparte con el resto de la mayonesa.

¡Además!

Un aromatizante: la menta picante.

De las 25 especies de menta catalogadas, la menta picante es la más aromática. Para obtener el mejor perfume, debe escogerse sin flores. Fresca o seca, la menta picante sazona las sopas frías o calientes, las salsas, algunas verduras como la berenjena, el pepino, los chícharos o los tomates, las ensaladas, así como las carnes (cordero a la menta). No debe picarse, sino cortarse con tijeras para preservar su aroma.

Balance del día

Alrededor de 1 400 kcal

25% de proteínas

20% de lípidos

55% de glúcidos

DELICIA DEL DÍA

Salsa de coñac

Receta: **1/2 cebolla** ● **2 tomates** ● **2 cdas. de coñac** ● **1 cda. de crema fresca** ● **1 punta de pimiento** ● **Cebollín fresco picado** ● **Sal**

En una cacerola, cueza la cebolla picada finamente con 1 cda. de agua durante 5 minutos. Añada los tomates cortados en pedazos, retire el máximo de pepitas. Cocine a fuego lento 10 minutos. Salpimiente al gusto, agregue el coñac y el cebollín fresco picado finamente. Para obtener una salsa muy tersa, mezcle todo cuando la salsa esté tibia.

SEMANA 5 DÍA 2

MENÚ DE LA MAÑANA

- Café o té sin azúcar
- Crumble de durazno y albaricoque*
- Cóctel energético (receta 11.6)

*Receta: 1 queso tipo petit-suisse ● 1 clara de huevo ● 3 cdas. de hojuelas de avena ● 5 cdas. de corn flakes ● 3 cdas. de granola sin azúcar ● 1 pan tostado ● 1 durazno ● 2 albaricoques ● 1 punta de vainilla en polvo ● Azúcar edulcorante líquida resistente al calor

Ponga las frutas lavadas y cortadas en pedacitos en un refractario (corte las frutas encima del plato para no perder el jugo). Bata el queso tipo petit-suisse y la clara de huevo. Añada los diferentes cereales. Agregue unas gotas de azúcar edulcorante. Vacíe esta crema sobre las frutas cubriéndolas por completo. Espolvoree con vainilla y pan molido (muela el pan tostado). Gratine 10 minutos. Vigile mientras se hornea.

MENÚ DEL MEDIODÍA

- 1 porción de pan integral
- Hígados de ave con manzanas*
- Lechuga con vinagreta ligera
- 1 queso tipo petit-suisse
- Café o té sin azúcar

*Receta: 120 g de hígados de ave ● Perejil fresco picado ● 1 cebolla blanca ● 1 punta de curry en polvo ● 1 rama de apio ● 1/2 manzana ● 30 g de arroz blanco ● 1 cda. de jugo de limón ● Unas gotas de salsa Tabasco ● 1 cda. de aceite ● Sal y pimienta

En un tazón mezcle el perejil y la cebolla picados con el aceite, la salsa Tabasco y el curry. Marine los hígados en esta mezcla 15 minutos. En una cacerola con agua hirviendo con sal, ponga el apio cortado en pedazos, la manzana cortada en cuartos y bañada con jugo de limón. Cueza 5 minutos. La manzana no debe desbaratarse. Reserve. Cocine el arroz en la misma agua (3 medidas de agua por 1 de arroz). Escurra. En una sartén con revestimiento antiadherente untada con aceite, ase los hígados de ave. Añada el arroz y las verduras. Revuelva. Cueza 5 minutos máximo.

MENÚ DE LA NOCHE

- 1 tazón de caldo de verduras
- *Moussaka* de berenjenas con tofu*
- Lechuga con limón
- Compota en soufflé con frambuesas (receta 8.5)
- 1 porción de pan integral
- Infusión

*Receta: 1 berenjena pequeña ● 1/2 cebolla ● 1 punta de ajo ● 1 tomate ● Perejil fresco picado ● 1 pizca de cilantro ● 1 bloque de tofu ● 1 cdta. de parmesano ● 1 cdta. de leche concentrada sin azúcar ● 1 huevo ● Sal y pimienta

Ase durante 5 minutos la berenjena cortada en rodajas y espolvoree con sal fina una sartén con revestimiento antiadherente. Añada el tomate cortado en rodajas. En otra sartén, aplaste el tofu con el ajo, la cebolla y el cilantro picados. Sofría. En un refractario, ponga una capa de berenjena, extienda el tofu machacado, cubra con el resto de la berenjena. Bata el huevo con la leche. Salpimiente. Añada el queso parmesano. Vacíe la mezcla sobre la berenjena. Hornee 25 minutos (200 a 220 °C).

No olvide...

Verifique que haya hielos para la leche *frappé* con peras de mañana al mediodía.

Balance del día
Alrededor de 1 400 kcal
20% de proteínas
25% de lípidos
55% de glúcidos

DELICIA DEL DÍA

Salsa gribiche

Receta: 1 yema de huevo ● 1 cdta. de vinagre ● 1 cdta. de mostaza ● 1 cda. de yogur búlgaro ● 1 cda. de aceite ● Sal y pimienta

En un tazón, aplaste la yema de huevo cocida con un tenedor. Añada la mostaza, el vinagre y el yogur. Salpimiente. Incorpore el aceite revolviendo constantemente. La salsa debe servirse muy fría.

SEMANA 5 — DÍA 3

MENÚ DE LA MAÑANA

- Café o té sin azúcar
- *Strudel* de cerezas*
- 1 naranja

*Receta: 1 yema de huevo ● 1 cda. de leche descremada ● 2 cdas. de harina integral ● 2 cdtas. de mantequilla ● 1 cdta. de almendras molidas ● 1 pizca de canela ● 1 pizca de vainilla en polvo ● 20 cerezas ● Azúcar edulcorante líquida resistente al calor

Bata la yema de huevo con unas gotas de azúcar. Añada las almendras y la vainilla, luego la leche descremada. Reserve la crema. En una cacerola, derrita la mantequilla. Aparte del fuego y añada la harina; endulce con unas gotas de azúcar e incorpore la canela. Mezcle bien. La mezcla debe estar granulosa. En un refractario, ponga las frutas en pedacitos. Cubra con la crema y agregue después la mezcla. Gratine 10 minutos. Vigile la cocción, que es rápida. Los pedazos de pasta deben estar dorados.

MENÚ DEL MEDIODÍA

- 1 porción de pan integral
- Carne *strogonoff*
- Lechuga con vinagreta ligera
- Leche helada con peras (receta 5.3)
- Café o té sin azúcar

*Receta: 1 cebolla blanca ● 1 cdta. de aceite ● Perejil fresco picado ● 5 champiñones ● 120 g de carne molida ● Unas gotas de salsa Tabasco ● Unas gotas de salsa Worcestershire ● 1 punta de ajo ● 200 g de ejotes ● 1 lata pequeña de salsa de tomate (50 g) ● 1 cdta. de crema fresca ● 1 cdta. de jugo de limón ● Sal y pimienta

Cueza los ejotes al vapor. Escurra. En una cacerola, ponga la cebolla rebanada, el aceite y el perejil. Cocine 5 minutos revolviendo. Añada los champiñones rebanados y la carne molida. Salpimiente. Sazone con la salsa Tabasco y la Worcestershire. Revuelva bien y cueza 15 minutos. Añada los ejotes y la salsa de tomate. Cueza 10 minutos más. Al final de la cocción, añada la crema y el limón.

MENÚ DE LA NOCHE

- 1 tazón de caldo de verduras
- Ensalada de camarones con frutas*
- Lechuga con limón
- 1 porción de queso de cabra fresco
- 1 durazno
- 1 porción de pan integral
- Infusión

*Receta: 1 lata de camarones en conserva ● 1 rama de apio ● 1/2 pimiento ● perejil fresco picado ● 1/2 manzana ● 1/2 limón ● 1 ramito de brócoli ● 100 g de mayonesa ligera (receta 9.3) ● 1 pizca de pimentón (paprika) ● Sal y pimienta

Blanquee el brócoli en una cacerola con agua hirviendo con sal durante 10 minutos. Deje enfriar. Pique la manzana, el perejil y el apio por separado. Corte el pimiento en trozos. En una ensaladera, ponga todos los ingredientes. Separe el brócoli en ramitos (guarde sólo las cabezas). Prepare la mayonesa y añádala a la ensalada. Espolvoree con pimentón. Salpimiente.

¡Además!

Consiéntase con una lengua de gato de una pastelería tradicional.

No olvide...

Prepare la bavaresa de duraznos para mañana. Conserve 3 cdtas. de salsa de tomate para mañana y 1 cda. para el último día de la semana.

Balance del día
Alrededor de 1 400 kcal
20% de proteínas
30% de lípidos
50% de glúcidos

DELICIA DEL DÍA

Leche frappé con peras

Receta: **1 vaso de leche descremada ● 1 pera ● 1 puñado de hielo triturado ● 1 cda. de miel**

Mezcle los ingredientes y sirva de inmediato.

SEMANA 5 DÍA 4

MENÚ DE LA MAÑANA

- Café o té sin azúcar
  Huevo con tomate*
  2 panes tostados
  1 cdta. de mantequilla
- 1/2 toronja

*Receta: 1 huevo ● 3 cdtas. de salsa de tomate ● 1 pizca de perifollo

Cueza un huevo hasta que esté duro. Córtelo a la mitad y cúbralo con un poco de salsa de tomate; espolvoree con perifollo fresco picado.

MENÚ DEL MEDIODÍA

  Rodaballo salteado con almendras*
  Lechuga con vinagreta ligera
- Bavaresa de duraznos (receta 5.4)
  Café o té sin azúcar

*Receta: 1 filete de rodaballo ● 1 cdta. de aceite de oliva ● 1 cda. de almendras fileteadas ● 1 cdta. de harina ● Unas gotas de jugo de limón ● 1 cdta. de crema fresca ● Perejil fresco picado ● 2 papas

Espolvoree el filete con harina por ambos lados. En una sartén con revestimiento antiadherente untada con aceite, ase el filete. Añada las almendras a media cocción; deben cocinarse junto con el filete durante 10 minutos. Coloque el pescado en un plato caliente. Ponga la crema en la sartén; deje enfriar. Vierta la salsa sobre el pescado. Espolvoree perejil fresco picado y añada un trocito de limón. Acompañe con 2 papas cocidas al vapor.

MENÚ DE LA NOCHE

  1 tazón de caldo de verduras
  Ensalada de tomates con queso feta*
  3 ciruelas
  1 porción de pan integral
  Infusión

*Receta: 2 tomates ● 60 g de queso feta ● 1 pizca de eneldo ● 3 cdas. de vinagreta ligera ● 1/4 de lechuga ● Sal y pimienta ● Jugo de 1 limón

Corte los tomates en rodajas. Desmenuce el queso feta. En una ensaladera prepare la vinagreta ligera y añada todos los ingredientes. Mezcle con cuidado. Espolvoree con eneldo en polvo. Salpimiente.

¡Además!

- Aromatice la bavaresa de duraznos de la comida del mediodía con 2 cdas. de coñac.
- De manera general, en el marco de una dieta, más vale desacostumbrarse al sabor del azúcar y limitar su uso en vez de abusar del azúcar edulcorante que no contribuiría a modificar un mal hábito alimenticio.

No olvide...

Conserve 1 cda. sopera de salsa de tomate para el último día de la semana (para la receta 5.7).

Balance del día
Alrededor de 1 300 kcal
20% de proteínas
25% de lípidos
55% de glúcidos

DELICIA DEL DÍA

  Bavaresa de duraznos

Receta: 1 durazno ● 30 g de leche descremada en polvo ● 3 hojas de gelatina ● Azúcar edulcorante en polvo

Reduzca el durazno a puré después de haberlo pelado. Añada la leche diluida en 10 cl de agua y endulce al gusto con azúcar edulcorante en polvo. Si es necesario, revuelva todo para obtener una mezcla bien tersa. Remoje las 3 hojas de gelatina en el agua fría por 5 minutos para que se ablanden, luego derrítalas en una cacerola al fuego durante unos minutos con 3 o 4 cdas; de agua, mueva constantemente. Añada la gelatina a la mezcla. Vacíe en un molde y coloque en el frigorífico durante 5 o 6 horas.

SEMANA 5

MENÚ DE LA MAÑANA

- Café o té sin azúcar
- *Corn flakes* con melón*
- Lechuga con vinagreta ligera
- Grosellas (casis) con vino (receta 5.5)

*Receta: 150 g de queso blanco ● 10 cdas. de corn flakes ● 1/2 melón ● 50 g de grosellas (casis) ● Azúcar edulcorante en polvo

Corte el melón en pequeños trozos. Mezcle con las bayas de grosellas después de haberlas pelado y lavado. Añada las frutas al queso blanco. Agregue los *corn flakes* en el último momento. Endulce al gusto con azúcar edulcorante en polvo.

MENÚ DEL MEDIODÍA

- Curry de ternera*

*Receta: 120 g de ternera ● 1/2 cebolla ● 1 cdta. de curry ● 1 manzana ● 1/4 de cubo de consomé ● 1 ramillete de hierbas aromáticas ● 1 tomate ● 30 g de arroz blanco ● Sal y pimienta

Rebane la media cebolla. Fríala en una cazuela. Añada el pedazo de ternera cortado en dados. Agregue la manzana sin pelar y el tomate cortados en cuartos. Bañe con caldo (1/2 litro de agua hirviendo y 1/4 de cubo de caldo). Salpimiente. Añada el ramillete de hierbas aromáticas.

Cueza a fuego lento durante 40 minutos. Cocine el arroz aparte en una cacerola con agua hirviendo con sal.

MENÚ DE LA NOCHE

- 1 tazón de caldo de verduras
- Espagueti con salsa boloñesa*
- Ensalada de berro (1/2 manojo) aderezado con limón
- Infusión

*Receta: 60 g de pasta para espagueti ● 250 g de salsa boloñesa (receta 8.6)

DÍA 5

Prepare la salsa boloñesa siguiendo la receta que aparece más adelante.

Cueza la pasta en agua hirviendo con sal.

¡Además!

- Una infusión: la verbena.

La verbena se denomina también "hierba de Venus" en la tradición celta; es decir, se le atribuyen virtudes para ayudar a las mujeres a tratar sus problemas. La verbena es calmante, astringente, antiespasmódica. ¡Parece que incluso ayuda a regular los grandes apetitos!

- Un día bien equilibrado debe repartirse en 3 o 4 citas de "placer a la mesa": 1/3 del bolo alimenticio del día en la mañana, 1/3 del bolo alimenticio al mediodía y distribuya el 1/3 restante entre la merienda y la cena; este último debe ser más ligero para no generar problemas en la noche.

No olvide...

Verifique que haya hielos para el cóctel de cítricos de mañana al mediodía.

Balance del día

Alrededor de 1 400 kcal

25% de proteínas

20% de lípidos

55% de glúcidos

DELICIA DEL DÍA

Grosellas (casis) al vino

Receta: 150 g de grosellas ● 1/4 de vaso de vino ● 1/2 cdta. de vainilla en polvo ● Azúcar edulcorante en polvo

Lave las grosellas y escúrralas bien. En una ensaladera, vacíe las grosellas, añada el vino tinto al que se le habrá mezclado previamente la vainilla y 1 cdta. de azúcar edulcorante en polvo. Macere durante 30 minutos en un lugar fresco.

SEMANA 5

DÍA 6

MENÚ DE LA MAÑANA

- Café o té sin azúcar
- Queso tipo petit-suisse con cereales y ciruelas*
- 1/2 mango

*Receta: 2 quesos tipo petit-suisse • 5 ciruelas • 3 cdas. de hojuelas de avena • 1/2 limón • Azúcar edulcorante en polvo

Corte las frutas en cubitos encima de un plato para no perder el jugo. Rocíe los pedazos con el jugo de limón. Endulce con azúcar edulcorante, mezcle con las hojuelas de avena. Revuelva todo con los quesos tipo petit-suisse.

MENÚ DEL MEDIODÍA

- 1 porción de pan integral
- Costilla de ternera con mango*
- Lechuga con vinagreta ligera
- 1 porción de queso Coulommiers
- Coctel de cítricos (receta 5.6)
- Café o té sin azúcar

*Receta: 1 costilla de ternera • 1/2 mango • 1/2 limón • 200 g de espinacas frescas • Sal y pimienta

Ase la costilla en una sartén con revestimiento antiadherente. Salpimiente. Pele el mango y córtelo en rebanadas finas. Soase las rebanadas en la sartén junto a la carne de 5 a 7 minutos. Rocíe con el jugo de limón durante la cocción. Reserve en un plato caliente. En la sartén sin enjuagar, ponga las espinacas lavadas y escurridas. Sofría unos minutos. Añada la carne.

MENÚ DE LA NOCHE

- 1 tazón de caldo de verduras
- Pastel de hierbas*
- Lechuga con limón
- 3 albaricoques
- 1 porción de pan integral
- Infusión

*Receta: 1 calabacita • 100 g de hojas de acelga • Perejil fresco picado • Perifollo picado • Albahaca fresca picada • 2 huevos • 1 punta de ajo • Sal y pimienta .

Pique el ajo, el perifollo y la albahaca. En una sartén con revestimiento antiadherente, cueza las calabacitas cortadas en rodajas muy finas con 5 cdas. de agua durante 10 minutos. Añada las hojas de acelga; cueza 5 minutos más. Reserve. Bata los huevos, salpimiente y añada las hierbas aromáticas picadas. Agregue las verduras a la *omelette*, espolvoree las hierbas aromáticas picadas y revuelva. Ponga la sartén nuevamente en el fuego hasta que se cuajen ligeramente los huevos (sin cocerlos). Ponga todo en un molde, comprima y hornee 15 minutos (200 a 240 °C). Espolvoree con perejil fresco picado.

¡Además!
Consiéntase con un chocolate a la hora del café o del té.

No olvide...
Verifique que haya al menos 10 hojas de berro de reserva y guarde 5 hojas de espinacas para la salsa verde (receta anterior) de mañana al mediodía.

Balance del día
Alrededor de 1 200 kcal
20% de proteínas
20% de lípidos
60% de glúcidos ' '

DELICIA DEL DÍA

Cóctel de cítricos
Receta: 1/2 limón • 1 naranja • 1/2 toronja • 1 vasito de jugo de tomate • De 1 a 4 hielos • Azúcar edulcorante en polvo

Pele todos los ingredientes y póngalos en la licuadora. Añada 10 cdas. de agua durante la mezcla. Espolvoree con canela. Endulce con azúcar edulcorante en polvo. Sirva frío con hielos.

SEMANA 5 | DÍA 7

MENÚ DE LA MAÑANA

- Yogur con cereales y duraznos*
- Lechuga con vinagreta ligera
- 1 porción de queso Coulommiers
- 1 ponche (receta 5.7)
- Café o té sin azúcar

*Receta: 1 yogur natural ● 2 duraznos ● 5 cdas. de hojuelas de avena ● 1/2 limón ● Azúcar edulcorante en polvo

Corte los duraznos en pequeños trozos después de haberlos pelado. Rocíelos con el jugo de limón para que no se oscurezcan. Endulce con 1 cdta. de azúcar edulcorante. Mezcle con las hojuelas de avena. Revuelva con el yogur.

MENÚ DEL MEDIODÍA

- 1 porción de pan integral
- Rodaja de salmón en salsa verde*

*Receta: 1 rodaja de salmón fresco ● 100 g de salsa verde ● 1/2 limón ● 200 g de chícharos en vaina ● 1 cdta. de mantequilla

Ase el pescado en una sartén con revestimiento antiadherente untada con aceite. Prepare la salsa. Cueza los chícharos al vapor y después sofríalos en la sartén con la mantequilla y el pescado durante 5 minutos.

MENÚ DE LA NOCHE

- 1 tazón de caldo de verduras
- Costilla de cordero con albahaca y zanahorias Vichy*
- Ensalada de berro (1/2 manojo) con vinagreta ligera
- 100 g de queso blanco
- 1 porción de pan integral
- Infusión

*Receta: 2 costillitas de cordero ● 1/2 cebolla ● Albahaca fresca picada ● 1 rama de apio ● 1 cdta. de salsa de tomate ● 3 zanahorias ● 1 cdta. de mantequilla ● Perejil fresco picado ● 1 cdta. de bicarbonato de sodio ● Azúcar edulcorante líquida resistente al calor ● 30 cl de agua ● Sal

Lave, pele las zanahorias y córtelas en rodajas muy finas de 3 a 4 milímetros de grueso. Vacíelas en una cacerola donde quepa el doble del volumen de las zanahorias, con 30 cl de agua, la mantequilla, la sal, el bicarbonato y unas gotas de azúcar edulcorante. Tape y cueza hasta el punto de ebullición. Baje el fuego y cocine de 20 a 25 minutos a fuego lento. Cuando sólo quede un poquito del jugo de la cocción, siga cociendo, pero moviendo regularmente hasta la total reducción del jugo. Ase la costilla de cordero en una sartén con revestimiento antiadherente untada con aceite. Añada la cebolla rebanada y la rama de apio picada. Vierta un vaso de agua y 1 cdta. de concentrado de tomate. Cueza 15 minutos. Salpimiente. Espolvoree con albahaca fresca picada y cocine a fuego lento 5 minutos más.

¡Además!
1 vaso de vino tinto para acompañar el salmón de la comida del mediodía.

No olvide...
El azúcar agudiza el apetito. Nunca la escoja para quitar el hambre. Privilegie los productos proteínicos como los lácteos.

Balance del día
Alrededor de 1 400 kcal
25% de proteínas
20% de lípidos
55% de glúcidos

DELICIA DEL DÍA

Ponche 2a. versión

1 naranja ● 1/4 de limón ● 2 rebanadas de piña ● 100 g de fresas frescas ● 3 cditas. de té de jazmín ● Azúcar edulcorante en polvo

Haga una infusión de té de jazmín virtiendo 1/2 litro de agua sobre las hojas. Macere unos minutos. Cuele. Pele las frutas y córtelas en cubos o en rodajas finas. Coloque todo en una ensaladera en frío. Añada las fresas en el último minuto y cuele al servir.

semana 6

LISTA DE COMPRAS DE LA SEMANA 6

Los sobrantes de la semana anterior

7 u 8 rebanadas de piña
1 porción de queso de cabra
5 porciones de queso
Coulommiers
1/3 de mantequilla
2/3 de crema fresca
Se utilizarán esta semana.

Comestibles

1/2 litro de leche de soya
1 lata de camarones rosados (100 g)
1 lata de corazones de palmitos (100 g de masa drenada)
1 paquete de germen de soya (100 g de masa drenada)
11 huevos

Panadería

1 pan integral
1 panecillo de leche

Bebidas

¡No olvide el agua!
1 botella o lata de muy buena cerveza clara u oscura
1 jugo de manzana (200 g) sin azúcar
1 jugo de naranja (200 g) sin azúcar
1 jugo de toronja (200 g) sin azúcar
1 jugo de uva (200 g) sin azúcar
2 jugos de tomate (200 g x 2) sin azúcar añadida

Hierbas aromáticas frescas

Perifollo
Melisa
Cilantro

Infusión de hierbas

Salvia

Verduras

2 ramas de angélica fresca o 50 g de angélica confitada
1 cabeza de ajo
8 espárragos
5 zanahorias
2 ramas de apio
20 champiñones
1 echalote
200 g de espinacas
2 cebollas
100 g de acedera
1 manojo de perejil fresco
200 g de chícharos
5 puerros
1 papa
1 manojo de rábanos (conserve las hojas para una receta)
3 tomates

Frutas

21 albaricoques
4 nectarinas
2 limones
2 naranjas
4 duraznos
1 pera
1 manzana
9 ciruelas
25 cerezas
2 higos
100 g de grosellas
2 kiwis

Lácteos

50 g de crema fresca
125 g de mantequilla
500 g de queso blanco
120 g de queso gruyer (para 4 porciones de peso medio)
3 litros de leche descremada
1 yogur

Carnicería

Compre las carnes y el pescado a medida que se necesiten, el día anterior a su consumo.

PRIMER DÍA

1 filete de res para brasear (unos 130 g)

SEGUNDO DÍA

1 escalopa de pavo de 130 g

TERCER DÍA

1 pedazo de espaldilla de ternera (unos 120 g)

CUARTO DÍA

1 costilla de cerdo (140 g de peso medio)

SEXTO DÍA

1 magret de pato (unos 130 g)

SÉPTIMO DÍA

1 trozo de conejo (unos 140 g)
1 rebanada de jamón blanco (unos 100 g)

Pescadería

SEGUNDO DÍA

2 salmonetes (fileteados) (unos 170 g)

QUINTO DÍA

1 filete de abadejo (unos 130 g)

SEXTO DÍA

1 lenguado (fileteado)

Varios

■ Prepare por adelantado 2 litros de caldo de verduras para las noches de la semana.

■ Prevea 3 lechugas frescas como acompañamiento de las comidas de la semana.

■ No olvide llenar el frigorífico con "antiantojos".

■ Verifique que no falte nada en la "despensa ideal".

SEMANA 6

DÍA 1

MENÚ DE LA MAÑANA

■ Café o té sin azúcar
■ Granola con mermelada de ruibarbo a la naranja*
■ 2 higos frescos

*Receta: 30 g de granola sin azúcar ● 10 cl de leche descremada ● 1 cda. de mermelada de ruibarbo a la naranja (sobrantes del 4.4) ● Azúcar edulcorante en polvo

Vacíe la granola en un plato hondo, bañe con la leche tibia, deje reposar unos minutos. Añada la confitura y mezcle ligeramente. Endulce al gusto con azúcar edulcorante.

MENÚ DEL MEDIODÍA

■ Carne de res a la melisa*
■ Lechuga con vinagreta ligera
■ 100 g de queso blanco
■ *Mousse* de albaricoque (receta 6.1)
■ Café o té sin azúcar

*Receta: 1 trozo de carne de res tierna ● 1 cda. de melisa ● 1 pizca de 4 especias ● 1 echalote pequeño ● 1 diente de ajo ● Unas gotas de salsa *nuoc mam* ● 1 cda. de aceite ● Cilantro fresco picado ● 30 g de arroz blanco crudo

Corte la carne en láminas finas (2 cm de grueso). Pique el echalote y el ajo después de haberlos pelado. Añada la melisa, las especias, el *nuoc mam*, el cilantro, el aceite y dos cdas. de agua. Mezcle bien y deje reposar 5 minutos. Remoje cada pedazo de carne en esta mezcla. Ase los pedazos en una sartén con revestimiento antiadherente. Añada de 1 a 2 cdas. de agua a la sartén si se desea una cocción menos seca. Cueza el arroz blanco aparte. Sirva la carne separada del arroz.

MENÚ DE LA NOCHE

■ 1 tazón de caldo de verduras
■ 1 porción de pan integral
■ Guiso de trigo con puerros*
■ Lechuga con limón
■ 1 porción de queso Coulommiers
■ Infusión

*Receta: 1 puerro, la parte blanca ● 50 g de trigo tierno ● 1/2 vaso de leche descremada ● 1 cdta. de mantequilla ● 1 cda. de harina ● Nuez moscada rallada ● Sal y pimienta

Prepare una salsa bechamel mezclando la harina y la mantequilla derretida. Cueza 1 minuto. Vierta la leche hirviendo sazonada con nuez moscada. Cocine 2 minutos revolviendo hasta obtener una mezcla tersa. Cocine el trigo y el puerro cortado en juliana 40 minutos al vapor. Enjuague y escurra. Mezcle el trigo y el puerro en la cacerola con la bechamel, y cueza todo 5 minutos revolviendo constantemente.

¡Además!
Con 1 yema de huevo, que sobró del *mousse* de duraznos, prepare una crema inglesa ligera: bata la yema de huevo con un vasito de leche. Endulce con azúcar edulcorante resistente al calor. Cueza a fuego lento sin dejar de revolver. Vierta caliente sobre el *mousse* frío.

No olvide...
La carne roja tiene el mismo valor nutritivo que la carne blanca. No hay razón para privilegiar una en detrimento de la otra.

Balance del día
Alrededor de 1400 kcal
30% de proteínas
15% de lípidos
55% de glúcidos

DELICIA DEL DÍA

Mousse de albaricoques

4 albaricoques ● 2 claras de huevo ● 1/2 cdta. de vainilla en polvo ● Azúcar edulcorante en polvo

Cueza los albaricoques pelados, vaciados y cortados en trozos en una cacerola con una cda. de agua. Añada la vainilla durante la cocción. Bata las claras a punto de turrón. Mezcle la compota de frutas con las claras de huevo. Endulce al gusto con azúcar edulcorante. Consuma 30 minutos después de su preparación.

SEMANA 6 DÍA 2

MENÚ DE LA MAÑANA

■ Panes tostados, queso blanco, compota de durazno y albaricoque*

■ 2 nectarinas

*Receta: 2 panes tostados ● 100 g de queso blanco ● 3 albaricoques ● 1 durazno ● Azúcar edulcorante en polvo ● 1/2 cdta. de vainilla en polvo.

Cueza los trozos de frutas peladas en una cacerola con 1/4 de vaso de agua hasta reducir a puré. Añada la vainilla en el curso de la cocción. Endulce al gusto al final. Revuelva constantemente en el curso de la cocción. Si es necesario, añada más agua. Mezcle el queso blanco y la compota tibia y extienda sobre los panes tostados.

MENÚ DEL MEDIODÍA

■ 1 porción de pan integral

■ Escalopa de pavo florentina*

■ 1/2 manojo de rábanos

■ 1 yogur

■ Café o té sin azúcar

*Receta: 1 escalopa de pavo ● 200 g de espinacas ● 1 cdta. de harina ● 1 cdta. de mantequilla ● 1/2 vaso de leche descremada ● 1 pizca de nuez moscada rallada ● 1/2 porción de queso gruyer rallado ● Sal y pimienta

Espolvoree con pimienta la escalopa. Ásela en una sartén con revestimiento antiadherente. No debe cocerse por completo. Reserve. Cocine las espinacas en la sartén sin enjuagar, durante 10 minutos. Reserve. En un refractario, ponga la escalopa, cúbrala con las espinacas. Espolvoree con nuez moscada y después con queso gruyer rallado. Bañe con una salsa bechamel (derrita la mantequilla en una cacerola, añada la harina y viértale encima la leche hirviendo, deje que espese 5 minutos y salpimiente). Hornee 8 minutos (240 a 260 °C). La parte superior debe estar ligeramente dorada.

MENÚ DE LA NOCHE

■ 1 tazón de caldo de verduras

■ 1 porción de pan integral

■ Salmonete con crema de acedera*

■ Lechuga con limón

■ 1 porción de queso Coulommiers

■ Infusión

*Receta: Los filetes de 2 salmonetes ● 150 g de crema de acedera (receta 9.7) ● 2 tomates

Compre los salmonetes fileteados. Cueza los filetes al vapor o "al plato". Prepare la salsa. Ponga en una fuente una cama de tomates cortados en rebanadas finas. Coloque los filetes de salmonete encima. Bañe con crema de acedera.

¡Además!

Un aromatizante: la angélica. Esta planta parecida al apio posee un gusto acidulado, a limón, agudo y sabroso. Mientras más grandes son los tallos de angélica, más sabor tienen. Se utiliza en pastelería, confitería, en ensaladas, fresca. Sazona también el pescado reemplazando al apio y le da un sabor muy particular. Finalmente, suaviza la acidez de ciertas frutas en compota, como el ruibarbo.

No olvide...

No tire las hojas de los rábanos, guárdelas para el quinto día de la semana.

Balance del día

Alrededor de 1 400 kcal

30% de proteínas

15% de lípidos

55% de glúcidos

DELICIA DEL DÍA

Salsa *ravigote*

Receta: 1 cdta. de aceite ● 1 cdta. de mostaza ● 1 cdta. de cebollín picado ● 1 cdta. de perejil fresco picado ● 1/2 limón ● 1 huevo ● 2 echalotes picados ● Sal y pimienta

Cueza el huevo hasta que esté duro. Pique las echalotes. En un tazón, aplaste el huevo con un tenedor, añada los echalotes, la mostaza y el jugo de limón. Salpimiente. Mezcle bien y después agregue el aceite y las hierbas picadas. Deje enfriar 10 minutos antes de servir.

SEMANA 6

MENÚ DE LA MAÑANA

- Café o té sin azúcar
- 1 huevo duro
- 1 porción de pan integral con mantequilla (2 rebanadas delgadas de pan con 1 cdta. de mantequilla)
- Compota de albaricoque*
- 1 jugo de manzana

*Receta: 4 albaricoques ● 1/2 cdta. de vainilla en polvo ● Azúcar edulcorante en polvo resistente al calor

Prepare la compota: pele las frutas, córtelas en pedazos y cocínelas en una cacerola con 1/4 de vaso de agua hasta que se reduzca a puré, añada la vainilla en el curso de la cocción, y mueva constantemente. Endulce al gusto cuando ya esté cocido. Si es necesario, agregue agua.

MENÚ DEL MEDIODÍA

- 1 porción de pan integral
- Fricasé de ternera con espárragos*
- Lechuga con vinagreta ligera
- Batido de durazno (receta 4.1)
- 1 porción de queso de cabra
- Café o té sin azúcar

*Receta: 130 g de espaldilla de ternera ● 8 espárragos ● 5 champiñones ● 1 cda. de vino blanco ● 1 cda. de leche descremada ● 1/2 vaso de caldo hecho con un cubo de consomé ● Perejil fresco picado ● 1 cda. de harina ● 1 cda. de mantequilla

Cueza los champiñones enteros o cortados en trozos grandes en una cacerola de caldo durante 15 minutos. Reserve. Corte la ternera y cocínela en el jugo de los champiñones durante 15 minutos. Cocine los espárragos al vapor. Reserve. En una cacerola, tome 10 cdas. del jugo de la cocción de la carne, mezcle con la harina y la mantequilla. Salpimiente. Añada la leche y deje que espese. Agregue el vino blanco y los champiñones escurridos. En un refractario, ponga los espárragos, la carne y

DÍA 3

cubra con la salsa; hornee 10 minutos (200 a 240 °C).

MENÚ DE LA NOCHE

- 1 tazón de caldo de verduras
- 1 porción de pan integral
- Ensalada exótica*
- 4 rebanadas de piña
- 1 porción de queso Coulommiers
- Infusión

*Receta: 1 paquete de germen de soya (100 g de masa drenada) ● 1 lata de corazones de palmitos (100 g de masa drenada) ● 1 tomate ● 1 punta de jengibre ● 1/2 naranja ● Sal y pimienta ● 3 cdas. de vinagreta ligera

Enjuague la soya y los corazones de palmitos. Corte los corazones en rodajas y el tomate, en cuartos. Pele la naranja y quítele la piel blanca; corte los gajos en dos (recupere el máximo de jugo y añádalo a la vinagreta). Mezcle todos los ingredientes en una ensaladera y espolvoree con jengibre.

No olvide...
Prepare la mermelada de albaricoque para mañana.

Balance del día
Alrededor de 1 400 kcal
25% de proteínas
20% de lípidos
55% de glúcidos

DELICIA DEL DÍA

Mango gratinado a la vainilla

Receta: 1 mango ● 1 yema de huevo ● 1 cda. De crema fresca ● 1 punta de vainilla en polvo ● Azúcar edulcorante líquida

Pele el mango y córtelo en rebanadas finas. Póngalas en un refractario. Gratine 5 minutos. Saque del horno. En un tazón, mezcle la yema de huevo, la crema y la vainilla. Endulce con 1/2 cdta. de azúcar edulcorante, bañe las frutas con esta mezcla y hornee 5 minutos más; vigile la cocción, que es muy rápida.

SEMANA 6 | DÍA 4

MENÚ DE LA MAÑANA

- Café o té sin azúcar
- **Panecillo de leche con mermelada de albaricoque***
- I jugo de uva

*Receta: I panecillo de leche ● I cda. De mermelada de albaricoque (receta 9.6)

Caliente ligeramente el panecillo de leche en el horno, córtelo en 2 y úntelo con la mitad de la mermelada.

MENÚ DEL MEDIODÍA

- I porción de pan integral
- **Costilla de cerdo en salsa de naranja***
- Lechuga con vinagreta ligera
- I porción de queso Coulommiers
- 25 cerezas
- Café o té sin azúcar

*Receta: I costilla de cerdo ● 100 g de salsa de naranja (receta 10.4) ● 4 puerros

Cueza al vapor las partes blancas de los puerros cortados en 2 a lo largo. Ase la costilla de cerdo en una sartén con revestimiento antiadherente. Prepare la salsa (que se presenta más adelante). Ponga en un plato la carne y los puerros y bañe con la salsa.

MENÚ DE LA NOCHE

- I tazón de caldo de verduras
- I porción de pan integral
- **Huevos revueltos con camarones***
- Lechuga con limón
- I porción de queso gruyer
- 2 nectarinas
- Infusión

*Receta: 2 huevos ● I lata de camarones rosados (100 g de masa drenada) ● I cda. De crema fresca ● Perejil fresco picado ● Sal y pimienta

Bata los huevos en un tazón. Salpimiente. Cueza en baño María a fuego lento en una cacerola agua; revuelva todo el tiempo para que la mezcla se conserve blanda. Cuando los huevos empiecen a cuajarse, añada los camarones, la crema y el perejil fresco picado. Cocine unos minutos más hasta que estén los huevos revueltos. Presente en una fuente caliente.

¡Además!
Una infusión: la salvia.
Planta milagrosa, según la leyenda, de la que se utilizan las hojas y las flores. Baja la fiebre, disminuye los sudores nocturnos. Su primera virtud es calmar el hígado. Su sabor amargo y dulce a la vez es delicioso ligeramente endulzado o aromatizado con un toque de jugo de naranja.

No olvide...

- No tire las hojas de los rábanos, serán excelentes para la sopa de mañana por la noche.

Vierta el resto de la mermelada en un frasco herméticamente cerrado y póngalo en la parte más fría del frigorífico para una próxima utilización (receta 8.5).

Balance del día
Alrededor de I 300 kcal
20% de proteínas
25% de lípidos
55% de glúcidos

DELICIA DEL DÍA

Salsa *à la dieppoise*

Receta: **10 mejillones (usar mejillones cocidos al natural en conserva) ● 10 camaroncitos rosados (en conserva) ● 2 cdas. de crema fresca ● I cdta. de maicena ● I vaso de agua ● I cda. de leche descremada en polvo**

Caliente la crema, añada la maicena y bata. Agregue el agua y la leche en polvo; vuelva a batir. Hierva a fuego lento y meta los camarones y los mejillones enjuagados con agua fría.

Cueza 10 minutos. Si la salsa se espesa demasiado, póngale más agua.

SEMANA 6   DÍA 5

MENÚ DE LA MAÑANA

- Café o té sin azúcar
- *Corn flakes* con albaricoques*
- 1 jugo de naranja

*Receta: 30 g de corn flakes ● 15 cl de leche descremada ● 3 albaricoques ● Azúcar edulcorante en polvo

Ponga en un plato hondo los albaricoques cortados en trozos y los *corn flakes*, añada la leche tibia encima antes de servir. Endulce al gusto con azúcar edulcorante.

MENÚ DEL MEDIODÍA

- 1 porción de pan integral
- Abadejo con verduritas*
- 1/2 manojo de rábanos rosas
- Crema de grosella (receta 10.5)
- Café o té sin azúcar

*Receta: 1/2 cebolla ● 1 rama de apio ● 1 zanahoria ● 100 g de chícharos ● 1 filete de abadejo ● 1 cda. de jugo de tomate ● Perejil fresco picado ● Sal y pimienta

Corte el apio, la cebolla y la zanahoria en pedacitos. Desenvaine los chícharos. En un refractario, mezcle todas las verduras. Salpimiente. Coloque el abadejo encima. Bañe con jugo de tomate. Tape y hornee 30 minutos (200 a 220 °C). Espolvoree con perejil fresco picado.

MENÚ DE LA NOCHE

- Sopa de hojas de rábanos*
- Lechuga con limón
- 1 porción de queso Coulommiers
- 1 huevo pasado por agua
- 3 rebanadas de piña
- 1 porción de pan integral
- Infusión

*Receta: 100 g de hojas de rábano ● 1 papa ● 1 vaso de leche de soya ● Sal y pimienta ● 1 cdta. de mantequilla ● 1 cda. de crema fresca ● Unas gotas de salsa Tabasco

Lave las hojas de rábano. Sumérjalas en la mantequilla derretida. Bañe con la leche de soya y,

si es necesario, con 1 vaso de agua. Añada la papa cortada en dados. Cueza a fuego lento 20 minutos. Mezcle. Sazone con salsa Tabasco. Salpimiente. Agregue la crema.

¡Además!
- Si queda un poco de queso parmesano, espolvoree la sopa de hojas de rábano con 1 cda. como mucho.
- Recuerde que las verduras "verdes", aun en grandes cantidades, nunca tendrán suficientes calorías para aumentar de peso. No se consideran verduras de este tipo: los chícharos, las papas, las habas, las batatas, los camotes (boniatos) y las verduras secas.

No olvide...
Cuando se han cocido las verduras en agua, trate de conservar el agua de la cocción para tomarla como caldo de verduras en la comida de la noche.

Balance del día
Alrededor de 1200 kcal
25% de proteínas
20% de lípidos
55% de glúcidos

DELICIA DEL DÍA

Albaricoques merengados

3 albaricoques ● 1 cda. de almendras molidas ● 1 clara de huevo ● Azúcar edulcorante líquida resistente al calor

Caliente el horno (140 a 180 °C). Cueza los albaricoques pelados, cortados en 2 y deshuesados en una cacerola de agua con unas gotas de azúcar edulcorante líquida, hasta que estén muy tiernos. Bata la clara de huevo a punto de turrón, añada con cuidado las almendras en polvo. Endulce ligeramente con azúcar edulcorante. Coloque los albaricoques en un refractario. Extienda el merengue por encima y gratine 5 minutos para que se dore el merengue. Sirva caliente.

SEMANA 6　　DÍA 6

MENÚ DE LA MAÑANA

- Café o té sin azúcar
- **Crumble de ciruela***
- I jugo de toronja

***Receta: 50 g de queso blanco ● I clara de huevo ● 3 cdas. de hojuelas de avena ● 5 cdas. de *corn flakes* ● 3 cdas. de granola sin azúcar ● I pan tostado ● 4 ciruelas ● I punta de canela ● Azúcar edulcorante líquida resistente al calor**

Ponga las frutas lavadas y cortadas en pequeños trozos en un refractario (deshuese encima del plato para no perder el jugo). Bata el queso y la clara de huevo. Añada los diferentes cereales. Endulce al gusto con azúcar edulcorante. Vierta la crema sobre las frutas cubriéndolas totalmente. Espolvoree con canela y pan molido. Gratine 10 minutos. Vigile la cocción.

MENÚ DEL MEDIODÍA

- *Magret* de pato con manzanas*
- Lechuga con vinagreta ligera
- Pastel de ciruelas (receta 6.6)
- Café o té sin azúcar

***Receta: I *magret* de pato ● I/2 manzana ● I cdta. de fondo de ternera ● I cdta. de aceite ● Perejil fresco picado ● Sal y pimienta**

Salpimiente el *magret* por ambos lados y áselo en una sartén con revestimiento antiadherente. Corte el *magret* asado en láminas finas. (Reserve en un plato caliente.) Pele y rebane la manzana. Saltee los pedazos en la sartén donde se guisó el pato sin enjuagar. (Reserve.) Quite la grasa cristalizada de la sartén con un poco de fondo de ternera diluido en un poco de agua. Bañe la carne y las manzanas con esta salsa.

MENÚ DE LA NOCHE

- I tazón de caldo de verduras
- I porción de pan integral
- **Flan de soya***
- Lechuga con limón
- 100 g de queso blanco

- I durazno
- Infusión

***Receta: 10 cl de soya ● I huevo ● I punta de nuez moscada rallada ● Los filetes de un lenguado ● I cdta. de mantequilla ● Sal y pimienta**

Hierva leche de soya. Salpimiente. Ralle un poco de nuez moscada. Bata el huevo en un tazón y después vacíele encima la leche. Revuelva durante un rato para que la mezcla quede homogénea. Vacíe esta mezcla en un cuenco y hornee (180 a 220 °C) en baño María durante 30 minutos. Desmolde junto a los filetes de pescado a la parrilla en una sartén con una nuez de mantequilla.

¡Además!
Consiéntase con un chocolate fino.

No olvide...
Verifique que haya 10 hojas muy verdes de lechuga disponibles para mañana.

Balance del día
Alrededor de 1 400 kcal
25% de proteínas
20% de lípidos
55% de glúcidos

DELICIA DEL DÍA

Pastel de ciruelas

Receta: **20 cl de leche descremada ● I cdta. de harina ● 5 ciruelas ● I huevo ● Azúcar edulcorante resistente al calor**

En una ensaladera, bata juntos el huevo, unas gotas de azúcar edulcorante y la harina. Cuando la mezcla esté espumosa, añada la leche en chorrito y mezcle de manera homogénea. Lave las ciruelas y deshuéselas. Córtelas en cuatro. Añádalas a la mezcla. Ponga en un refractario. Hornee 30 minutos (200 a 220 °C).

SEMANA 6

DÍA 7

MENÚ DE LA MAÑANA

- ■ Café o té sin azúcar
- ■ *Strudel* de durazno y albaricoque*
- ■ 1 jugo de tomate

*Receta: 1 yema de huevo ● 3 cdas. de leche descremada ● 2 cdas. de harina integral ● 2 cdtas. de mantequilla ● 2 cdtas. de almendras molidas ● 1 pizca de canela ● 1 pizca de vainilla en polvo ● 1 durazno ● 2 albaricoques ● Azúcar edulcorante líquida

Bata la yema de huevo con unas gotas de azúcar. Añada las almendras, la vainilla y después la leche descremada. Reserve. En una cacerola, derrita la mantequilla. Aparte del fuego y agregue la harina. Endulce con unas gotas de azúcar, ponga la canela. La mezcla debe quedar granulosa. En un refractario, vacíe los pedazos de frutas. Cubra con la crema y después espolvoree con la mezcla granulosa, gratine 10 minutos. Vigile la cocción, la pasta deben estar dorada.

MENÚ DEL MEDIODÍA

- ■ 1 porción de pan integral
- ■ Guiso de conejo*
- ■ Lechuga con vinagreta ligera
- ■ 100 g de queso blanco
- ■ 2 kiwis
- ■ Café o té sin azúcar

*Receta: 1 trozo de conejo ● 1/2 cebolla ● 1 zanahoria ● 1 rama de apio ● 3 granos de pimienta ● 1 cda. de crema fresca ● Sal y pimienta ● 15 champiñones ● El jugo de 1 limón ● 1 clavo de olor ● Laurel ● Tomillo

Ponga el conejo en una cazuela. Añada el apio, la cebolla, el tomillo y el laurel picados, así como la zanahoria cortada en rodajas finas. En una rebanada más gruesa, incruste el clavo de olor (retírelo al final de la cocción) y los granos de pimienta. Sale. Cubra con agua y hierva. Baje el fuego y cueza 30 minutos. Saque el conejo. Pase el caldo por un colador. Recupérelo y añada los champiñones cortados en 2 y reduzca 20 minutos. Sirva el conejo

acompañado de la salsa *brunoise* de verduras, bañada con el jugo de los champiñones y 1 cda. de crema.

MENÚ DE LA NOCHE

- ■ 1 tazón de caldo de verduras
- ■ 1 porción de pan integral
- ■ Zanahorias a la española*
- ■ 1 rebanada de jamón blanco
- ■ Lechuga con limón
- ■ 1 pera
- ■ Infusión

*Receta: 3 zanahorias ● 1 vaso de caldo hecho con un cubo ● 1 cebolla ● Sal y pimienta ● Tomillo ● Laurel

Rebane la cebolla, corte las zanahorias en rodajas. En una cacerola, cueza la cebolla bañada con el caldo. Añada las zanahorias. Espolvoree con tomillo y laurel picados. Salpimiente. Cueza 20 minutos.

¡Además!
Consiéntase con 2 pastitas de una pastelería tradicional para acompañar la infusión.

No olvide...
Prepare la bavaresa de mañana al mediodía.

Balance del día
Alrededor de 1 500 kcal
20% de proteínas
25% de lípidos
55% de glúcidos

DELICIA DEL DÍA

Copa de ruibarbo

Receta: 150 g de ruibarbo ● 1 naranja ● 1 cda. de crema fresca ● Azúcar edulcorante líquida resistente al calor

Pele el ruibarbo y córtelo en trozos de 1 cm. Luego cuézalos 10 minutos en el jugo de naranja, 1/2 vaso de agua y unas gotas de azúcar edulcorante líquida. Escurra la fruta. Reduzca el líquido a fuego vivo 5 minutos. Deje enfriar. Vacíe el ruibarbo en un tazón. Bañe con el almíbar y cubra de crema.

semana 7

LISTA DE COMPRAS DE LA SEMANA 7

Los sobrantes de la semana anterior

1 porción de queso gruyer
3/4 de mantequilla
Ajo
1/2 manzana

Comestibles

1 lata de mejillones al natural (100 g)
1 bote de 100 g de arándanos al natural (peso neto) o 100 g de arándanos congelados
1 lata chica de rebanadas de piña en almíbar ligero (10 rebanadas máximo)
Si no quiere comprar un cangrejo vivo (buey de mar), use una lata de masa de cangrejo al natural (100 g)
8 huevos

Panadería

1 pan integral

Bebidas

¡No olvide el agua!
1 botella de vino blanco de mesa
1 jugo de uva (200 g) sin azúcar
1 jugo de tomate (200 g) sin azúcar
1 jugo de naranja (200 g) sin azúcar
1 jugo de toronja (200 g) sin azúcar

Hierbas aromáticas frescas

Perifollo
Menta
Cebollín
Estragón

Infusión de hierbas

Tila

Verduras

1 cabeza de ajo
9 espárragos
1 betabel
1 ramito de brócoli
2 zanahorias
4 champiñones
1 pepino
200 g de tallos de acelgas
1 calabacita
6 echalotes
2 cebollas amarillas
2 cebollas blancas
1 manojo de perejil fresco
200 g de chícharos frescos
1 pimiento
3 papas
1 manojo de rábanos
7 tomates grandes

Frutas

10 albaricoques
1 plátano
2 nectarinas
4 limones
100 g de frambuesas
2 mangos
100 g de moras
1 naranja
1 toronja
2 duraznos
2 peras
1 manzana
6 ciruelas

Lácteos

1 bote de 50 g de crema fresca
500 g de queso blanco
2 litros de leche descremada
120 g de queso gouda (para 4 porciones de peso medio)
120 g de queso roquefort (para 4 porciones de peso medio)
6 quesos tipo petit-suisse
1 yogur

Carnicería

Compre las carnes y el pescado a medida que se necesiten, el día anterior a su consumo.

PRIMER DÍA

1 costilla de ternera (unos 140 g)

CUARTO DÍA

1 escalopa de pollo (unos 120 g)
5 rodajas de salchichón

QUINTO DÍA

1 costilla de cerdo (140 g de peso medio)

SEXTO DÍA

100 g de carne de res molida (140 g de peso medio)
1 rebanada de jamón blanco (100 g de peso medio)

SÉPTIMO DÍA

130 g de filete de pavo (130 g de peso medio)

Pescadería

PRIMER DÍA

1 filete chico de pescadilla (80 g)

SEGUNDO DÍA

1 filete de rodaballo (unos 130 g)
1 cangrejo (sustituir por 1 lata de 100 g netos de masa de cangrejo si no desea comprar uno vivo)

TERCER DÍA

1 rodaja de atún (unos 140 g)

QUINTO DÍA

1 caballa limpia

SÉPTIMO DÍA

1 filete de bacalao fresco (unos 130 g)

Varios

■ Prepare por adelantado 2 litros de caldo de verduras para las noches de la semana.
■ Prevea 4 lechugas frescas como acompañamiento de las comidas de la semana.
■ No olvide llenar el frigorífico con "antiantojos".
■ Verifique que no falte nada en la "despensa ideal".

SEMANA 7

MENÚ DE LA MAÑANA

- Café o té sin azúcar
- Queso blanco con albaricoques*
- 1 jugo de naranja
- 1 porción de pan integral

*Receta: 100 g de queso blanco ● 3 albaricoques ● Azúcar edulcorante en polvo

Pele y corte las frutas en cubos encima de un tazón para no perder el jugo. Mezcle con el queso blanco. Endulce con azúcar edulcorante en polvo.

MENÚ DEL MEDIODÍA

- 1 porción de pan integral
- Ternera al vapor de leche*
- Lechuga con vinagreta ligera
- Bavaresa de moras (receta 7.1)
- Café o té sin azúcar

*Receta: 1 vaso chico de leche descremada ● 1/2 cebolla ● 1 clavo de olor ● 1 ramillete de hierbas aromáticas ● 1 pizca de estragón ● Sal y pimienta ● 200 g de tallos de acelga ● 1 costilla de ternera ● 60 g de salsa blanca (receta 2.2)

En una vaporera, vierta la leche. Añada la cebolla con un clavo de olor incrustado y el ramillete de hierbas aromáticas. Cuando hierva, baje el fuego. Coloque la costilla de ternera en la canastilla de la vaporera. Espolvoree con estragón. Tape y estofe 10 minutos. Cueza aparte los tallos de acelgas al vapor. Prepare la salsa blanca y bañe con ella las acelgas.

MENÚ DE LA NOCHE

- 1 tazón de caldo de verduras
- 1 porción de pan integral
- Flan de mejillones con crema de lechuga*
- Lechuga con limón
- 1 queso tipo petit-suisse
- 1/2 manzana
- Infusión

*Receta: 1 lata de mejillones al natural ● 1 filete chico de pescadilla ● 1 huevo ● 1 cda. de crema fresca ● Perifollo fresco ● 1 punta de curry ● Sal y pimienta ● 100 g de crema de lechuga (receta 10.6)

DÍA 1

Raspe los mejillones, retíreles el biso. Con 5 minutos de vapor, se abrirán. Saque los mejillones de sus caparazones. Reserve. Desmenuce el filete de pescadilla y añádale poco a poco el huevo, la crema fresca y el perifollo. Salpimiente. Añada el curry. Agregue los mejillones al puré. Vacíe la preparación en un cuenco enharinado. Ponga el cuenco en la canastilla de la vaporera encima de una cama de agua (el agua no debe tocar la canastilla durante la ebullición). Tape y cueza 10 minutos. Prepare la crema de lechuga. Sirva caliente. Bañe con la crema de lechuga.

¡Además!
Añada el jugo de naranja en chorrito al queso blanco con albaricoques de la mañana.

No olvide...
Atención: 1 vaso de vino = 70 kcal… ¡y cuánta azúcar!

Balance del día
Alrededor de 1 400 kcal
25% de proteínas
20% de lípidos
55% de glúcidos

DELICIA DEL DÍA

Bavaresa de moras

Receta: 100 g de moras ● 30 g de leche descremada en polvo ● 3 hojas de gelatina ● Azúcar edulcorante en polvo

Reduzca las moras a puré después de haberlas lavado. Añada la leche diluida en 10 cl de agua. Endulce al gusto con azúcar edulcorante. Si es necesario, licue con el fin de obtener una mezcla bien lisa. Remoje las hojas de gelatina en el agua fría 5 minutos para ablandarlas y después derrítalas en una cacerola al fuego unos minutos con 3 o 4 cdas. de agua. Revuelva constantemente. Añada a las frutas. Vacíe en un molde y ponga en el frigorífico de 5 a 6 horas.

SEMANA 7

DÍA 2

MENÚ DE LA MAÑANA

- Café o té sin azúcar
- Granola, queso blanco, mango*
- I jugo de uva

*Receta: 6 cdas. de granola sin azúcar ● I vaso de leche descremada ● I00 g de queso blanco ● I mango ● Azúcar edulcorante en polvo

Pele y corte el mango en láminas finas encima de un plato para no perder el jugo. Espolvoree con granola y bañe con leche tibia. Deje reposar unos minutos y añada el queso blanco. Mezcle. Endulce al gusto con azúcar edulcorante.

MENÚ DEL MEDIODÍA

- Cangrejo relleno*
- Ensalada de 1/2 pepino con vinagreta ligera y 1 pizca de eneldo molido
- 2 albaricoques
- Café o té sin azúcar

*Receta: I cangrejo ● I puñado de algas ● I yema de huevo ● I punta de mostaza ● 1/2 limón ● Unas hojas de menta fresca ● I punta de pimiento ● I pizca de sal gruesa ● I cdta. de aceite de oliva ● Perejil fresco picado

Ponga el cangrejo vivo en la canastilla de una vaporera sobre una cama de algas. Vierta el agua con sal gruesa (sal de mar) en el fondo del recipiente. Tape y lleve al punto de ebullición 20 minutos. Deje enfriar. Quítele el caparazón al cangrejo (cuerpo patas, hueva, coral). Prepare una mayonesa con la yema de huevo y la mostaza, añada el aceite en chorrito. Cuando la mayonesa haya alcanzado su punto, añada el jugo de limón. Salpimiente. Agregue la menta fresca picada y el pimiento. Mezcle con la carne del cangrejo y rellene el caparazón con la mezcla. Espolvoree con perejil fresco picado.

MENÚ DE LA NOCHE

- I tazón de caldo de verduras
- I porción de pan integral
- Tomates con pescado*
- Lechuga con limón
- I porción de queso gouda
- Infusión

*Receta: I rebanada de rodaballo ● 4 tomates ● cebollín picado ● I diente de ajo ●I rama de tomillo ● Sal y pimienta ● pimentón (paprika)

Corte los tomates en 4. Cuézalos en la sartén con el ajo picado. Tome un papel de aluminio y haga un papillote: ponga los tomates en el fondo del papillote y coloque el pescado encima. Sale. Añada las hierbas y el pimentón. Cierre herméticamente el papillote y hornee 15 minutos (200 a 240 °C).

¡Además!
Una infusión: la tila.

Esta infusión de flores es calmante y ayuda a conciliar el sueño tras una comida muy pesada o de difícil digestión. Su sabor suave se parece a la menta (digestión), la verbena (sueño), a la cáscara de limón o de naranja como bebida refrescante.

No olvide...

Si lo desea remplace el cangrejo vivo con una lata de cangrejo al natural de 100 g. Presente en una copa. Se puede aligerar la receta del cangrejo sustituyendo la "mayonesa de verdad" con una "mayonesa ligera": (receta 9.3).

Balance del día

Alrededor de I 400 kcal

25% de proteínas

20% de lípidos

55% de glúcidos

DELICIA DEL DÍA

Mantequilla *maître d'hôtel*

Receta: I cda. de mantequilla ● I punta de mostaza ● Perejil fresco picado ● Jugo de 1/2 limón

Bata la mantequilla, añada la mostaza, el perejil y el limón, mezcle bien.

SEMANA 7

DÍA 3

MENÚ DE LA MAÑANA

■ Café o té sin azúcar
■ 1 huevo duro
■ 1 porción de pan integral con mantequilla
(2 rebanadas finas de pan con 1 cdta. de mantequilla)
■ Compota de manzana con frambuesa*

Receta: 1 manzana ● 100 g de frambuesas ● 1/2 cda. de vainilla en polvo ● Azúcar edulcorante líquida resistente al calor

Corte en pedazos la manzana pelada y cuézala en una cacerola con ¼ de vaso de agua hasta que se reduzca a puré. Añada las frambuesas y la vainilla en el curso de la cocción. Endulce al gusto. Revuelva constantemente para que no se pegue la compota y, si es necesario, añada agua.

MENÚ DEL MEDIODÍA

■ Terrina de arroz con atún*
■ Lechuga con vinagreta ligera
■ 1 queso tipo petit-suisse
■ Compota de duraznos (receta 4.7)
■ Café o té sin azúcar

Receta: 1 rodaja de atún ● 30 g de arroz blanco crudo ● 1 pimiento ● 1 bolsita de gelatina de vino de Madeira ● 1/2 litro de caldo corto ● Perejil fresco picado

Escalfe el atún en el caldo corto hirviendo durante 15 minutos. Deje enfriar en el líquido. Escurra. Desmenuce el atún. Cueza el arroz en una cacerola de agua hirviendo con sal. Ase el pimiento cortado en tiras finas en una sartén con revestimiento antiadherente durante 10 minutos revolviendo todo el tiempo. Prepare la gelatina según las instrucciones del fabricante; déjela entibiar si es necesario. En un molde, ponga un poco de gelatina en el fondo y después coloque sucesivas capas de verdura, pescado y arroz. Vacíe el resto de la gelatina. Deje cuajar en el frigorífico 3 horas. Voltee en un plato. Espolvoree con perejil.

MENÚ DE LA NOCHE

■ 1 tazón de caldo de verduras

■ 1 porción de pan integral
■ Chícharos a la menta*
■ Lechuga con limón
■ 2 huevos al plato
■ Infusión

Receta: 200 g de chícharos en su vaina (unos 120 g pelados) ● 1 zanahoria ● 2 cebollas blancas ● 1 rama de menta fresca ● 1 cdta. de mantequilla ● Sal y pimienta

Pele los chícharos. Corte las zanahorias en bastones. Pele las cebollas y rebánelas. Ponga todo en la canastilla de una vaporera. Espolvoree con menta picada. Cueza al vapor 15 minutos. Salpimiente. Añada la mantequilla y espolvoree un poco de menta fresca frotada.

¡Además!

Disfrutar del sabor de los alimentos es uno de los elementos necesarios para la sensación de saciedad.

No olvide...

Prepare la terrina de atún en la mañana. Debe reposar y cuajarse 3 horas antes de degustarla.

Balance del día
Alrededor de 1 400 kcal
25% de proteínas
20% de lípidos
55% de glúcidos

DELICIA DEL DÍA

Crema inglesa

10 cl de leche descremada ● 1 huevo ● 1/2 cdta. de vainilla en polvo ● 1 cdta. de azúcar edulcorante líquida resistente al calor

Hierva la leche y la vainilla en una cacerola. Baje el fuego. En una ensaladera, bata el huevo con el azúcar hasta obtener una mezcla homogénea. Vacíe esta mezcla en la cacerola de leche tibia revolviendo constantemente. No deje de revolver hasta que espese. Para evitar los posibles grumos, cuéle la crema o licue. Añada azúcar edulcorante si es necesario.

SEMANA 7

DÍA 4

MENÚ DE LA MAÑANA

- Café o té sin azúcar
- Pan tostado, queso roquefort y pera*
- 1 jugo de toronja

*Receta: 1 porción de queso roquefort ● 1 porción de pan integral (es decir, 2 rebanadas finas) ● 1 pera

Unte las rebanadas de pan con el queso roquefort y cubra con láminas gruesas de pera pelada.

MENÚ DEL MEDIODÍA

- 1 porción de pan integral
- Terrina de verduras*
- Lechuga con vinagreta ligera
- 1 porción de queso gruyer
- Café o té sin azúcar

*Receta: 1 zanahoria ● 1 calabacita ● 4 champiñones pequeños ● 2 claras de huevo ● 1 cda. de crema fresca ● 1 escalopa chica de pollo ● Sal y pimienta ● 1 punta de nuez moscada ● 100 g de salsa de azafrán (receta 3.1)

Corte todas las verduras en pequeños trozos. Cocínelas en una cacerola de agua hirviendo con sal, rebane los champiñones y sofríalos en una sartén con revestimiento antiadherente. Deje enfriar. Pique el pollo y mézclelo con las claras de huevo y la crema. Salpimiente. Añada una pizca de nuez moscada. En una ensaladera, revuelva bien las verduras y la carne. Vacíe la mezcla en un molde enharinado. Presione y cueza a baño María. Hornee (180 a 160 °C). Verifique la cocción picando (con un cuchillo) el flan. La punta debe salir seca. Prepare la salsa de azafrán. Debe desmoldarse cuando esté tibio. Bañe con la salsa.

MENÚ DE LA NOCHE

- 1 tazón de caldo de verduras
- 1 porción de pan integral
- Tomate asado supremo*
- 5 rodajas finas de salchichón seco
- Lechuga con limón
- 2 nectarinas
- Infusión

*Receta: 1 tomate grande ● Perejil fresco picado ● 2 cebollas blancas ● 1 punta de estragón ● 1 diente de ajo ● Cebollín fresco picado ● Sal y pimienta ● 150 g de crema de espárragos (receta 9.2) ● 6 espárragos

Pique juntos todos los aromatizantes (perejil, estragón, ajo, cebollín). Corte los tomates en 2. Póngalos en un refractario. Espolvoree con la mezcla de hierbas. Hornee 10 minutos (de 200 a 240°C). Cueza los espárragos al vapor. Prepare la crema de espárragos y presente en una fuente los tomates y los espárragos espolvoreados con perejil fresco picado, sirva la salsa aparte.

¡Además!

Consiéntase con un macarrón relleno (de 3 a 4 cm de diámetro).

No olvide...

Aprenda a apreciar su bebida favorita (café, té o infusión) sin azúcar como los verdaderos aficionados.

Balance del día

Alrededor de 1400 kcal

25% de proteínas

20% de lípidos

55% de glúcidos

DELICIA DEL DÍA

Crepa ligera

Receta: 40 g de harina integral ● 1 cda. de mantequilla ● 1 huevo ● 10 cl de leche descremada ● 1 cáscara de naranja ● 1 pizca de sal ● Azúcar edulcorante líquida resistente al calor

Receta para 2 crepas

En un tazón, mezcle vigorosamente la harina con unas gotas de azúcar edulcorante, la cáscara de naranja picada muy finamente y 1 pizca de sal. Añada la leche y bata hasta obtener una mezcla tersa y bastante líquida. Agregue la mantequilla derretida en un baño María. Bata unos minutos más. Deje reposar 30 minutos. Haga 2 crepas muy finas en una sartén con revestimiento antiadherente untada con aceite.

SEMANA 7

MENÚ DE LA MAÑANA

- Café o té sin azúcar
- *Strudel* de ciruelas*
- I jugo de tomate

*Receta: I yema de huevo ● 3 cdas. de leche descremada ● 2 cdas. de harina integral ● 2 cdtas. de mantequilla ● I cdta. de almendras molidas ● I pizca de canela ● I pizca de vainilla en polvo ● Azúcar edulcorante líquida resistente al calor ● 6 ciruelas

Bata la yema de huevo con unas gotas de azúcar edulcorante. Añada las almendras molidas y la vainilla en polvo. Vierta la la leche descremada. Reserve la crema. En una cacerola, derrita la mantequilla. Aparte del fuego y añada la harina. Endulce con unas gotas de azúcar edulcorante y espolvoree la canela molida. La mezcla debe quedar granulosa. En un refractario, vacíe las frutas en pequeños trozos. Cubra con la crema y después ponga la mezcla granulosa, gratine 10 minutos como mucho. Vigile la cocción, que es rápida, los pedazos de pasta deben estar dorados.

MENÚ DEL MEDIODÍA

- I porción de pan integral
- Cerdo en salsa de pimienta con arándanos*
- Lechuga con vinagreta ligera
- I porción de queso gruyer
- Café o té sin azúcar

*Receta: I costilla de cerdo ● 100 g de salsa de pimienta con arándanos (receta 11.3) ● I ramo de brócoli

Cueza el brócoli al vapor. Ase la costilla de cerdo en una sartén con revestimiento antiadherente. Sofría el brócoli en la sartén donde asó la carne y prepare la salsa. Sirva la carne y las verduras bañadas de salsa.

MENÚ DE LA NOCHE

- I tazón de caldo de verduras
- Caballa con alcaravea*

DÍA 5

- I/2 manojo de rábanos rosados
- Infusión

*Receta: I caballa ● I pizca de semillas de alcaravea negra ● I diente de ajo ● I/2 vaso de vino blanco ● 100 g de queso blanco con hierbas (receta 8.2) ● Perifollo fresco picado

Vacíe la caballa. Marínela en una mezcla de vino blanco, alcaravea y ajo machacado durante 45 minutos. Prepare un papillote con un papel de aluminio y ponga dentro la caballa. Espolvoree con perifollo fresco picado. Bañe con 4 cdas. de la marinada. Salpimiente. Cierre el papillote. Póngalo en un refractario con I vaso de agua alrededor. Hornee 20 minutos (180 a 220 °C). Sirva con queso blanco con hierbas como acompañamiento.

¡Además!
Un vaso de vino blanco para acompañar la caballa.

No olvide...
Conserve unas hojas de lechuga bien blancas para mañana.
Marine la caballa este mediodía para la comida de la noche.

Balance del día
Alrededor de I 400 kcal
20% de proteínas
25% de lípidos
55% de glúcidos

DELICIA DEL DÍA

Salsa de coliflor

Receta: **2 ramitos de coliflor ● I yema de huevo ● I cda. de crema fresca ● I punta de nuez moscada rallada ● Perejil fresco picado ● Sal y pimienta**

Cueza en agua con sal los ramitos de coliflor. Escurra. A la coliflor añádale la yema de huevo, la crema, la nuez moscada y los sazonadores. Espolvoree con perejil fresco picado.

SEMANA 7

DÍA 6

MENÚ DE LA MAÑANA

- Café o té sin azúcar
- Panes tostados con queso blanco, compota de mango*
- 1 jugo de naranja

*Receta: 1 mango ● 1 cdta. de flor de azahar ● Azúcar edulcorante en polvo ● 1 pan tostado ● 100 g de queso blanco ● 3 cdas. de granola sin azúcar

Prepare la compota con las frutas peladas; córtelas en trozos y cuézalas en una cacerola con 1/4 de vaso de agua hasta que se reduzca a puré. Añada la flor de azahar al final de la cocción. Endulce al gusto con azúcar edulcorante. Revuelva constantemente en el curso de la cocción, si es necesario, agregue agua. Unte el pan tostado con queso blanco mezclado con la compota tibia.

MENÚ DEL MEDIODÍA

- *Cheeseburger**
- Lechuga con vinagreta ligera
- Café o té sin azúcar

*Receta: 100 g de carne de res molida ● 1 porción de queso gorda cortado en láminas finas ● 1 porción de pan integral (2 rebanadas finas) ● 1 punta de mostaza ● 1 cdta. de *ketchup* ● 2 hojas de lechuga muy tiernas ● 1 punta de pimentón (paprika) ● 1 pizca de sal refinada

Forme un bistec con la carne molida. Espolvoree con sal el fondo de una sartén con revestimiento antiadherente y ase la carne de 5 a 7 minutos. Retire del fuego y unte con mostaza uno de los lados de la carne; coloque una rebanada de queso encima, vuelva a colocaren la sartén (el lado del queso hacia arriba y el lado de la carne hacia abajo). Coloque una hoja de lechuga sobre una rebanada de pan tostado y ponga encima la carne con el queso. Agregue *ketchup*. Cubra con el resto de la lechuga y la otra rebanada de pan tostado. Espolvoree con el pimentón.

MENÚ DE LA NOCHE

- 1 tazón de caldo de verduras
- 1 porción de pan integral
- Betabel con echalotes*
- 1 rebanada de jamón blanco
- Lechuga con limón
- Ensalada de frutas flameada al ron (receta 11.4)
- Infusión de tila

*Receta: 1 betabel ● Perejil fresco picado ● 2 echalotes ● Unas gotas de vinagre ● 4 cdas. de vinagreta ligera

Cueza el betabel cortado en 4 en una cacerola de agua hirviendo con sal y unas gotas de vinagre, una rama de perejil y el echalote cortado en 4, durante 30 minutos. Escurra. Corte el betabel en dados pequeños. Pique el resto del echalote. Prepare una vinagreta ligera y añada el echalote, espolvoree con perejil. Sirva todo como ensalada tibia o fría.

No olvide...

Prepare la bavaresa de albaricoques para mañana al mediodía. Verifique que queden arándanos al natural para mañana por la mañana.

Balance del día

Alrededor de 1400 kcal

25% de proteínas

20% de lípidos

55% de glúcidos

DELICIA DEL DÍA

Crepa con moras

Receta: 100 g de moras ● 1 cda. de crema fresca ● 1 clara de huevo ● Azúcar edulcorante en polvo ● 1 cdta. de aguardiente ● 1 crepa ligera (receta 7.4)

Bata la crema endulzada con 1/2 cdta. de azúcar edulcorante y añada delicadamente las moras. Bata la clara de huevo a punto de nieve e incorpore a la crema. Prepare una crepa, ponga en medio la crema con las moras y doble la crepa. Rocíe con aguardiente y flamee. Sirva tibia.

SEMANA 7

MENÚ DE LA MAÑANA

- Café o té sin azúcar
- **Toronja con arándanos***
- 3 rebanadas de piña
- 1 porción de pan integral con mantequilla (2 rebanadas finas de pan con 1 cdta. de man tequilla)

*Receta: 1/2 toronja ● **1 cda. de arándanos** ● **Azúcar edulcorante en polvo** ● **1 cda. de estragón fresco** ● **Cebollín fresco** ● **1 cda. de queso blanco** ● **Sal y pimienta**

Separe los gajos de la toronja. Endulce ligeramente los arándanos con azúcar edulcorante. Añádalos a la pulpa de la toronja. Mezcle el queso blanco con las hierbas. Salpimiente.

MENÚ DEL MEDIODÍA

- **Asado de pavo al curry***
- Lechuga con vinagreta ligera
- Bavaresa de albaricoques (receta 7.7)
- Café o té sin azúcar

*Receta: 120 g de filete de pavo ● **1 cebolla** ● **1 diente de ajo** ● **1 tomate** ● **1 cdta. de curry** ● **1 punta de puré de pimiento** ● **Sal y pimienta** ● **1 punta de jengibre** ● **30 g de arroz blanco crudo**

Acitrone las cebollas cortadas en rodajas finas a fuego lento en una sartén con revestimiento antiadherente. Añada los tomates machacados. Que hierva 5 minutos. Salpimiente. Añada el curry, el jengibre y el pimiento. Ponga la carne en esta preparación y cocine a fuego muy lento revolviendo con frecuencia. El platillo está listo cuando las verduras formen una compota. Cocine el arroz aparte.

MENÚ DE LA NOCHE

- 1 tazón de caldo de verduras
- 1 porción de pan integral
- **Bacalao fresco a la provenzal***
- Lechuga con limón
- 1 queso tipo petit suisse
- Infusión

*Receta: 1 filete de bacalao fresco ● **1 tomate** ● **1 punta de ajo** ● **1/2 cebolla** ● **Perejil fresco picado** ● **2 papas**

DÍA 7

En un plato para gratinar, ponga una cama de tomates cortados en rodajas finas (conserve 2 rodajas para el final), pique el ajo y la cebolla. Salpique con ellos los tomates (guarde un poco), añada una cama de papas lavadas, peladas y cortadas en láminas. Salpimiente. Coloque el bacalao fresco encima y cubra con el resto de los tomates. Salpimiente. Añada el resto del ajo y la cebolla. Hornee 20 minutos (240 a 260 °C). Bañe durante la cocción con el jugo de las verduras o caldo de legumbres fresco.

¡Además!
Consiéntase con un dulce de cebada de 10 a 15 g de, como en la niñez.

No olvide...
Atención: azúcar llama a azúcar y si no se tiene cuidado, un primer bombón puede llevar a otros. Excepto si no hay más que uno disponible, sólo para la gula.

Balance del día
Alrededor de 1400 kcal
25% de proteínas
20% de lípidos
55% de glúcidos

DELICIA DEL DÍA

Bavaresa de albaricoques

5 albaricoques ● **5 cdas. de leche descremada en polvo** ● **3 hojas de gelatina** ● **Azúcar edulcorante en polvo**

Reduzca los albaricoques a puré después de haberlos pelado. Añada la leche diluida en 10 cl de agua y endulce al gusto con azúcar edulcorante. Si es necesario, bata con el fin de obtener una mezcla bien tersa. Remoje las hojas de gelatina en agua fría 5 minutos para ablandarlas y derrítalas en una cacerola al fuego unos minutos con 3 o 4 cdas. de agua; revuelva constantemente. Añada a la mezcla. Ponga en un molde en el frigorífico de 5 a 6 horas.

semana 8

LISTA DE COMPRAS DE LA SEMANA 8

Los sobrantes de la semana anterior
5 rebanadas de piña
1/2 plátano
1/2 toronja
Mantequilla
1 porción de queso gouda
3 quesos tipo petit-suisse
2 porciones de queso roquefort
1/2 pepino
1/2 manojo de rábanos
1/2 bote de crema fresca
Ajo
Se utilizarán esta semana.

Comestibles
1 lata de tomates pelados (100
g de masa drenada)
10 huevos

Panadería
1 pan integral

Bebidas
¡No olvide el agua!
2 jugos de manzana (200 g ×
2) sin azúcar
1 jugo de tomate (200 g) sin
azúcar
1 jugo de toronja (200 g) sin
azúcar
1 botella de vino blanco seco
de mesa

Hierbas aromáticas frescas
Perifollo
Menta
Cebollín
Estragón

Infusión de hierbas
Manzanilla o matricaria

Verduras
1 cabeza de ajo
1 ramo de brócoli
1 zanahoria
1 apio
6 champiñones
1 coliflor pequeña
3 endivias
200 g de ejotes
4 cebollas amarillas
1 cebolla blanca
200 g de vainas de chícharos
tiernos
2 pimientos
5 tomates
1 manojo de perejil fresco
1 alcachofa

Frutas
3 manzanas
10 ciruelas
2 naranjas
3 duraznos
7 albaricoques
4 nectarinas
100 g de grosellas
5 limones
1 limón amargo
2 higos frescos
200 g de fresas frescas
200 g de frambuesas
250 g de moras
1 plátano
1 mango verde
1 pera

Lácteos
1 litro de leche descremada
120 g de queso gruyer (para 4
porciones de peso medio)
120 g de queso Fourme
d'Ambert (para 4 porciones
de peso medio)
250 g de queso blanco
4 yogures

Carnicería
Compre las carnes y el pescado a medida que se necesiten,
el día anterior a su consumo.

PRIMER DÍA
1 rebanada de hígado de
ternera (unos 120 g)

TERCER DÍA
120 g de cabrito

CUARTO DÍA
120 g de carne de res molida

QUINTO DÍA
120 g de hígado de ave
1 medallón de res (unos
120 g)

SEXTO DÍA
1 rebanada de jamón crudo
(80 g)

SÉPTIMO DÍA
1 pichón pequeño (unos
180 g)
1 costilla de cerdo (unos
140 g)

Pescadería

PRIMER DÍA
1 trozo de lija (unos 130 g)

SEGUNDO DÍA
1 caballa limpia
1 rebanada de salmón
ahumado (80 g)

Varios
■ Prepare por adelantado 1.5
litros de caldo de verduras
para las noches de la semana.
■ Prevea 3 lechugas frescas
como acompañamiento de las
comidas de la semana.
■ Disponga de 2 o 3 frascos
vacíos para poner el chutney
de pera y de mango en conserva.
■ No olvide llenar el frigorífico con "antiantojos".
■ Verifique que no falte nada
en la "despensa ideal".

SEMANA 8

DÍA 1

MENÚ DE LA MAÑANA

- Café o té sin azúcar
- Queso blanco con ciruelas y plátanos*
- 1 porción de pan integral
- 1 cdta. de mantequilla
- 1/2 toronja

*Receta: 150 g de queso blanco ● 5 ciruelas ● 1/2 plátano ● Azúcar edulcorante en polvo

Pele y corte las frutas en cubos pequeños encima de un tazón para no perder el jugo. Mezcle con el queso blanco. Endulce con azúcar edulcorante en polvo.

MENÚ DEL MEDIODÍA

- 1 porción de pan integral
- Hígado agridulce*
- Lechuga con vinagreta ligera
- 1 queso tipo petit-suisse
- *Mousse* de ciruelas (receta 8.1)
- Café o té sin azúcar

*Receta: 1 rebanada de hígado de ternera ● 1 cdta. de harina ● 1 cdta. de mantequilla ● Azúcar edulcorante líquida resistente al calor ● 1 cdta. de vinagre ● Estragón fresco picado ● 1 pepinillo ● Sal, pimienta ● 1 pizca de 4 especias ● 200 g de ejotes

Cueza los ejotes al vapor. Espolvoree el hígado con harina. Reserve. En una sartén con revestimiento antiadherente, ponga 5 cdas. de agua y unas gotas de azúcar. Salpimiente. Añada las 4 especias. Sofría el hígado en la sartén. Reserve. En la misma sartén, vierta el vinagre y una pizca de estragón, añada el pepinillo cortado en rodajas finas. Mezcle y raspe la sartén para obtener en 2 o 3 minutos una salsa que se verterá sobre el hígado. Sofría los ejotes en la sartén después de haber retirado la mayor parte de la salsa.

MENÚ DE LA NOCHE

- 1 tazón de caldo de verduras
- 1 porción de pan integral
- Endivias con pescado*
- Lechuga con limón
- 1 porción de queso gouda
- 3 rebanadas de piña
- Infusión

*Receta: 1 trozo de lija ● Cebollín fresco picado ● 1 diente de ajo ● 1 rama de tomillo ● Pimienta, sal ● Curry ● 3 endivias

Corte las endivias en 4 a lo largo, cuézalas al vapor. Escurra. Pique el ajo. Prepare un papillote con papel de aluminio: ponga las endivias en el fondo, coloque el pescado sobre las endivias, sale. Añada las hierbas y el curry. Cierre herméticamente el papillote y hornee 15 minutos (200 a 240° C).

No olvide...

Para un ligero estreñimiento: tome mucha agua, coma verduras, lechuga. Evite los laxantes, nocivos a largo plazo.

Balance del día
Alrededor de 1300 kcal
30% de proteínas
15% de lípidos
55% de glúcidos

DELICIA DEL DÍA

Mousse de ciruelas

5 ciruelas ● 3 ciruelas pasas ● 2 claras de huevo ● 1/2 limón ● 1 cáscara de limón ● 1/2 cdta. de canela en polvo ● 3 hojas de gelatina ● Azúcar edulcorante en polvo ● Sal

Remoje las ciruelas pasas en té hirviendo durante 20 minutos para que se hinchen. Corte las ciruelas en 4 y deshuese. Cueza las ciruelas y las ciruelas pasas en medio vaso de agua hirviendo 10 minutos añadiéndole una cáscara de limón entera y una pizca de sal. Luego pélelas. Escurra las frutas. Guarde el jugo de la cocción. Retire los huesos y mezcle añadiendo el jugo de 1/2 limón. Endulce ligeramente. Remoje las hojas de gelatina en agua fría. Ponga el puré en una cacerola y derrita la gelatina. Añada 3 cdas. del jugo de la cocción. Mezcle vigorosamente. Refrigere al menos 3 horas para que cuaje.

SEMANA 8

MENÚ DE LA MAÑANA

- Café o té sin azúcar
- Queso Fourme d'Ambert, pan, tomate*

*Receta: I porción de pan integral (2 rebanadas finas) ● I porción de queso Fourme d'Ambert ● I tomate

Unte el pan con el queso Fourme d'Ambert y ponga encima rebanadas delgadas de tomate.

MENÚ DEL MEDIODÍA

- I porción de pan integral
- Caballa a la mostaza*
- 1/2 manojo de rábanos
- Batido de moras (receta 11.4)
- Café o té sin azúcar

*Receta: I caballa ● I cdta. de vinagre de sidra ● I cdta. de mostaza ● I cda. de vino blanco ● I cdta. de aceite de oliva ● Cilantro ● Laurel ● Tomillo ● 1/2 limón amargo ● I gota de salsa Tabasco ● Sal, pimienta ● 200 g de vainas de chícharos tiernos

Cueza los chícharos al vapor. Retire la cabeza del pescado si es necesario. Coloque el pescado lo más abierto posible hacia la espina dorsal en un refractario. En un tazón, mezcle cuidadosamente el vino, el vinagre, la mostaza, el aceite, la sal, la pimienta, el tomillo, el laurel, el 1/2 limón amargo y la salsa Tabasco. Corte una cáscara de limón y píquela, añádala a la salsa y viértala sobre el pescado. Hornee (200 a 220° C) 15 minutos. Bañe de vez en cuando y vigile la cocción.

MENÚ DE LA NOCHE

- I tazón de caldo de verduras
- I porción de pan integral
- Pepino a la griega*
- Lechuga con limón
- I yogur
- 2 nectarinas
- Infusión

*Receta: 1/2 pepino ● I rama de apio ● 1/2 limón amargo ● I cdta. de cilantro ● I pizca de semillas de hinojo ● Perejil fresco picado ●

DÍA 2

Tomillo ● Sal, pimienta ● I rebanada de salmón ahumado ● I pizca de eneldo

Corte el apio en juliana. En una cazuela ponga el apio y todos los aromatizantes (excepto el eneldo) y el jugo de limón. Que hierva 20 minutos. Pique el pepino pelado en dados pequeños después de haberle retirado el centro. Añada los trozos de pepino al caldo y cueza 15 minutos. Escurra y deje enfriar. Acompañe con el pescado ahumado. Espolvoree todo con eneldo.

¡Además!

Una mezcla de especias y de hierbas aromáticas: el ramillete de hierbas de olor. Para estar completo, deberá tener I rama de ajedrea, romero, albahaca, apio, tomillo y I hoja de laurel, se pueden agregar unos granos de pimienta. Ideal para el puchero, los guisos y como condimento de sopas y verduras. Para tener un sabor más original, añada una pizca de semillas de hinojo o de eneldo, que le darán un sabor ligeramente anisado y refrescante.

No olvide...

Prepare la marinada del cabrito para mañana al mediodía.

Balance del día

Alrededor de 1300 kcal

25% de proteínas

20% de lípidos

55% de glúcidos

DELICIA DEL DÍA

Queso blanco a las hierbas

Receta: **I cdta. de cebollín picado ● I cdta. de ajo picado ● I cdta. de perejil fresco picado ● I cdta. de perifollo fresco picado ● 1/2 cdta. de sal ● 100 g de queso blanco batido**

Pique muy fino todas las hierbas aromáticas y mézclelas bien con el queso. Sale al gusto.

SEMANA 8

MENÚ DE LA MAÑANA

- Café o té sin azúcar
- Granola, yogur, compota de frambuesas*
- Lechuga con vinagreta ligera
- 1 porción de queso Fourme d'Ambert
- 2 o 3 rebanadas de piña
- Café o té sin azúcar

*Receta: 5 cdas. de granola sin azúcar ● 1 yogur ● 1 manzana ● 100 g de frambuesas ● 1/2 cdta. de vainilla en polvo ● Azúcar edulcorante en polvo

Pele la manzana, córtela en trozos y cuézalos con 1/4 de vaso de agua hasta reducirlos a puré. Añada las frambuesas y la vainilla. Durante la cocción, revuelva constantemente y endulce al final. Añada agua si es necesario. En un plato hondo, vierta la granola, cubra con la compota y luego con el yogur. Mezcle. Endulce.

MENÚ DEL MEDIODÍA

- 1 porción de pan integral
- Cabrito con manzanas*

*Receta: 1 trozo de cabrito ● 1 manzana grande ● 1 vaso de vino blanco ● 1 cdta. de vinagre ● 1 zanahoria ● 1/2 cebolla ● Sal, pimienta ● Tomillo ● Laurel ● 1 clavo de olor ● 1 punta de ajo ● 1 cda. de coñac

Prepare una marinada con los aromatizantes, el vino blanco y el vinagre, la zanahoria cortada en rodajas finas y la cebolla picada. Caliente la marinada 5 minutos y ponga en ella la carne durante 12 horas. Cuele la marinada y vierta el líquido en una cacerola. Coloque en él la carne y cuézala tapada a fuego lento de 30 a 40 minutos. Añada el coñac a media cocción. Para verificar que la carne esté cocida, hunda el cuchillo en el centro (el ciervo debe estar blando). 5 minutos antes de finalizar la cocción, añada la manzana sin pelar cortada en cuartos y cocine en el jugo.

MENÚ DE LA NOCHE

- 1 tazón de caldo de verduras
- 1 porción de pan integral

DÍA 3

- *Omelette* de alcachofas*
- Lechuga con limón
- 1 durazno
- Infusión

*Receta: 2 huevos ● 1 alcachofa ● 1 punta de ajo ● Cebollín fresco picado ● El jugo de 1/2 limón ● 100 g de salsa de tomate casera (receta 11.1.) ● 1 cdta. de mantequilla

Cueza la alcachofa al vapor y pélela (retire las hojas y los filamentos). Corte en láminas el corazón de la alcachofa. Sofríalo en una sartén con revestimiento antiadherente con la mantequilla y el ajo machacado. Añada la mitad de la salsa de tomate, el cebollón y unas gotas de limón. Salpimiente. Bata los huevos. Salpimiente. Añada la alcachofa y después vacíe todo en la sartén de la cocción. Cueza la *omelette* a fuego muy lento. Espolvoree con el cebollín y decore con la salsa de tomate restante. Se pueden comer las hojas de la alcachofa con una cda. de vinagreta ligera.

¡Además!
Consiéntase con un chocolate de una buena bombonería.

Balance del día
Alrededor de 1400 kcal
20% de proteínas
25% de lípidos
55% de glúcidos

DELICIA DEL DÍA

Salsa coctel

Receta: 100 g de queso blanco ● 1 cdta. de crema fresca ● 1 cdta. de jugo de limón ● 1 cdta. de mostaza ● 1 yema de huevo ● 1 cdta. de coñac ● 1 cdta. de *ketchup* ● Sal, pimienta

Bata la yema de huevo y la mostaza. Añada el queso blanco y la crema. Siga batiendo. Salpimiente y añada después poco a poco el limón, el coñac y la *ketchup*. Enfríe 30 minutos antes de servir.

SEMANA 8 DÍA 4

MENÚ DE LA MAÑANA

- Café o té sin azúcar
- I huevo pasado por agua
- I porción de pan integral con mantequilla (2 rebanadas finas de pan con I cdta. de mantequilla
- Compota de manzana y grosellas*
- I jugo de tomate

*Receta: I manzana ● I00 g de grosellas ● I/2 cdta. de vainilla en polvo ● Azúcar edulcorante en polvo

Cueza el huevo 3 minutos. Pele la manzana, córtela en trozos y cocínela en una cacerola con I/4 de vaso de agua hasta reducir a puré. Añada las grosellas lavadas y la vainilla en el curso de cocción. Endulce al final. No deje que se pegue, agregue agua si es necesario.

MENÚ DEL MEDIODÍA

- I porción de pan integral
- Carne de res al gratín*
- Lechuga con vinagreta ligera
- Frutas rojas en *mousse* de higos (receta 12.1)
- Café o té sin azúcar

*Receta: I00 g de carne de res molida ● 6 ramitos de coliflor ● I pan tostado ● 2 tomates ● I rama de apio ● I cebolla blanca ● Sal, pimienta

Ase la carne molida en una sartén con revestimiento antiadherente. Añada el apio y la cebolla picados, los tomates en rodajas y I/2 vaso de agua. Cueza unos minutos. Salpimiente. En un plato refractario, ponga la coliflor, añada la carne preparada y mezcle. Espolvoree con pan molido. Cubra el plato y hornéelo (160 a 200° C) 30 minutos. Verifique la cocción con regularidad. Si la mezcla se seca, agregue un poquito de agua.

MENÚ DE LA NOCHE

- I porción de pan integral
- Consomé frío al limón y *omelette**
- Lechuga con limón
- I queso tipo petit-suisse
- I00 g de moras
- Infusión

*Receta: 3/4 de cubo de consomé ● I yema de huevo ● I/2 limón ● Perejil fresco picado ● Sal, pimienta

Para la *omelette*: I clara de huevo ● I huevo entero ● 2 cdas. de leche descremada ● Perejil fresco picado ● I punta de mostaza

Prepare el caldo con 3/4 de litro de agua y el cubo de consomé. Bata la yema en un tazón para que espume ligeramente. Vierta poco a poco el caldo sobre la yema de huevo y después bañe con el jugo de I/2 limón. Salpimiente. Espolvoree con perejil fresco picado. Agregue limón si se desea un sabor más ácido. Prepare la *omelette*: bata el huevo entero con la clara de huevo restante. Añada una punta de mostaza y salpimiente al gusto. Cueza la *omelette* en una sartén con revestimiento antiadherente. Espolvoree con perejil. Presente por separado o cortando la *omelette* tibia en láminas mezclándola con el consomé hirviendo.

¡Además!

Si una carne que se va a cocer parece demasiado grasosa, el siguiente es un buen consejo: hiérvala en agua con un poco de sal y deseche el primer jugo: I/3 de la grasa que se ve se irá en el jugo de la primera cocción.

No olvide...

Guarde unas hojas de lechuga muy tiernas para mañana al mediodía.

Balance del día

Alrededor de I400 kcal

25% de proteínas

20% de lípidos

55% de glúcidos

DELICIA DEL DÍA

Salsa de mostaza

Receta: I yogur búlgaro ● I cda. de mostaza ● Perejil fresco picado ● I cdta. de Armagnac ● Sal, pimienta

Mezcle la mostaza con los condimentos y añada el yogur. Bata durante un rato.

SEMANA 8

MENÚ DE LA MAÑANA

- Café o té sin azúcar
- Granola con mermelada de albaricoques*
- 1 jugo de toronja

*Receta: 1 vaso chico de leche descremada ● 5 cdas. de granola sin azúcar ● 1 cda. de mermelada de albaricoques (sobrante del 6.4) ● Azúcar edulcorante en polvo

Ponga la granola en un plato hondo. Bañe con la leche tibia. Deje reposar unos minutos. Añada la mermelada y mezcle ligeramente. Endulce al gusto con azúcar edulcorante.

MENÚ DEL MEDIODÍA

- 2 porciones de pan integral (4 rebanadas finas)
- Paté de hígado con pimiento*
- Lechuga con vinagreta ligera
- 1 porción de queso roquefort
- 2 albaricoques
- Café o té sin azúcar

*Receta: 120 g de hígado de ave ● 1 tomate ● 1/4 de pimiento ● 1 cebolla ● Perifollo fresco picado ● 1 huevo duro ● 2 cdas. de salsa de tomate ● Sal, pimienta ● Tomillo ● Laurel ● Unas hojas de lechuga muy tiernas

Cueza a fuego lento durante 10 minutos los hígados de ave con la salsa de tomate (en una sartén con revestimiento antiadherente). Añada la cebolla picada y los aromatizantes. Salpimiente. Mezcle todo con el huevo duro. Presente en una fuente poniendo los hígados al centro. Disponga las rodajas de tomate, el pimiento en láminas muy finas alrededor y espolvoree con perifollo. Adorne el borde con hojas de lechuga.

MENÚ DE LA NOCHE

- 1 tazón de caldo de verduras
- Ensalada tibia de brócoli*
- 1 queso tipo petit-suisse
- 1 durazno
- Infusión

DÍA 5

*Receta: 1 ramo de brócoli ● 2 filetes de anchoas ● 1 punta de ajo ● Unas gotas de jerez ● 1 cdta. de aceite ● Pimienta ● 1 medallón de res

Use solamente los ramitos de brócoli tiernos. Cuézalos al vapor 15 minutos. Mezcle los filetes de anchoas y el ajo y vacíe en un tazón. Añada el vinagre, el aceite y la pimienta (no ponga sal, con la de las anchoas es suficiente). Mezcle. Presente los brócolis muy calientes bañados con salsa. Ase el medallón de res en una sartén con revestimiento antiadherente untada con aceite.

¡Además!
Consiéntase con 2 galletitas a la hora del café.

No olvide...
Cuide la presentación: el placer de la vista es tan importante como el del sabor en el marco de una alimentación ligera.

Balance del día
Alrededor de 1300 kcal
25% de proteínas
20% de lípidos
55% de glúcidos

DELICIA DEL DÍA

Soufflé de compota de frambuesas

100 g de frambuesas ● 1 manzana ● 80 g de queso blanco ● 1 huevo ● 1 cdta. de azúcar edulcorante líquida resistente al calor

En una cacerola prepare la compota con la manzana cortada en dados y las frambuesas (guarde 5 enteras). Endulce con unas gotas de azúcar edulcorante. Reserve. Mezcle la yema de huevo con el resto del azúcar edulcorante y el queso blanco. Bata vigorosamente. Luego bata la clara a punto de nieve e incorpore a la yema preparada. Vacíe la compota de frutas en un refractario. Añada las frambuesas enteras. Cubra con la crema. Hornee (180 ° C). Sirva tibio o frío.

SEMANA 8

DÍA 6

MENÚ DE LA MAÑANA

■ Café o té sin azúcar
■ Batido de plátano con frambuesas*
■ 1 naranja
■ 1 porción de pan integral (2 rebanadas finas)
■ 1 cdta. de mantequilla

*Receta: 10 cl de leche descremada ● 1/2 plátano ● 100 g de frambuesas ● 1/2 limón ● Azúcar edulcorante en polvo ● 1 pizca de canela molida

Mezcle todos los ingrediente con el jugo del 1/2 limón. Endulce al gusto con azúcar edulcorante.

MENÚ DEL MEDIODÍA

■ Espagueti provenzal*
■ Lechuga con vinagreta ligera
■ 1 yogur
■ *Kissel* de fresa (receta 12.3)
■ Café o té sin azúcar

*Receta: 60 g de espagueti ● 1/2 cebolla ● 1 punta de ajo ● 1 tomate ● 1 porción de gruyer rallado ● 1 pizca de tomillo ● Laurel ● Sal, pimienta

Cueza los espaguetis en una cacerola de agua hirviendo con sal. En una sartén con revestimiento antiadherente untada con aceite, fría la cebolla picada. Añada el tomate cortado en rodajas. Salpimiente. Agregue una pizca de tomillo, de laurel y de ajo machacado. Cueza a fuego lento 15 minutos revolviendo frecuentemente. Mezcle con la pasta y espolvoree con queso gruyer rallado.

MENÚ DE LA NOCHE

■ 1 tazón de caldo de verduras
■ 1 porción de pan integral
■ Apio roquefort*
■ 1 rebanada de jamón crudo
■ Lechuga con limón
■ 3 albaricoques
■ Infusión

*Receta: 6 ramas de apio ● 1 cda. de queso blanco ● Unas gotas de salsa Worcestershire ● 20 g de queso roquefort

Lave las ramas de apio y córtelas en bastoncitos. Prepare una salsa mezclando vigorosamente el queso blanco y el roquefort con la salsa Worcestershire. La salsa debe quedar tersa. Para la presentación, coloque el apio en un plato y la salsa en un tazón.

¡Además!
- Un vaso de vino blanco para acompañar el espagueti.
- Una infusión, la manzanilla o matricaria.
Estas dos plantas tienen virtudes calmantes para los nervios y los trastornos relacionados: problemas estomacales, digestivos. Su sabor amargo puede atenuarse con una punta de azúcar o 1/2 cdta. de jugo de limón.

> No olvide...

Prepare el chutney para mañana y tenga 2 o 3 frascos de 50 g disponibles a fin de conservar –para otros menús– lo que no se utilizará en el día con el pichón Nevada.

> Balance del día
> Alrededor de 1400 kcal
> 25% de proteínas
> 20% de lípidos
> 55% de glúcidos

DELICIA DEL DÍA

> Salsa boloñesa

Receta: 30 g de carne de res molida ● 30 g de jamón cocido ● 1 pizca de albahaca ● 3 tomates ● 1/2 vaso de vino blanco ● 1/2 vaso de caldo hecho con un cubo de consomé ● 1 cdta. de aceite ● 2 aceitunas negras ● 1/2 cebolla ● 1 rama de apio ● Tomillo ● Laurel ● Romero ● 1 punta de ajo ● Sal, pimienta

En una cacerola, dore en el aceite 2 minutos el ajo picado finamente. Pique el jamón y añádalo junto con la carne molida al ajo frito. Agregue el ramillete de hierbas de olor. Bañe con el caldo y el vino blanco. Reduzca 10 minutos revolviendo constantemente. Añada los tomates mezclados y cueza a fuego muy lento 20 minutos. Salpimiente.

SEMANA 8

MENÚ DE LA MAÑANA

- Café o té sin azúcar
- Granola, yogur con naranja cocida*
- 1 jugo de manzana

*Receta: 1 cdas. de granola sin azúcar ● 1 yogur ● 1 naranja ● 1 punta de anís molido ● 1 punta de canela molida ● 1 clavo de olor ● 1 pizca de vainilla en polvo ● Azúcar edulcorante en polvo

Pele una naranja y quítele la piel blanca. Escálfela 10 minutos en una cacerola de agua hirviendo en la que se hizo una infusión con el clavo de olor, la canela, la vainilla y el anís; endúlcela con azúcar edulcorante Escurra. Deguste frío o caliente acompañado de un yogur con granola y endulce con azúcar edulcorante.

MENÚ DEL MEDIODÍA

- Pichón Nevada*
- Lechuga con vinagreta ligera
- *Mousse* de duraznos y albaricoques (receta 8.7)
- Café o té sin azúcar

*Receta: 1 pichón ● 1 cdta. de mostaza ● 1 pan tostado ● 1/2 jugo de limón ● 8 ramitos de coliflor ● 2 cdas. de chutney (receta 10.7)

Corte en 2 el pichón dejando las mitades unidas por la piel. Conserve las vísceras. Unte con mostaza cada una de las mitades. Espolvoree con pan molido (deshaga el pan tostado). Bañe con el jugo del ½ limón. Añada 5 cdas. de agua al plato de la cocción. Hornee (200 a 240° C) 30 minutos. Salpimiente, verifique la cocción. Bañe de vez en cuando. Cueza la coliflor al vapor. Acompañe con chutney de mango.

MENÚ DE LA NOCHE

- 1 porción de pan integral
- Sopa de pimientos y champiñones*
- Lechuga con limón
- 1 porción de queso gruyer

DÍA 7

- 2 nectarinas
- Infusión

*Receta: 1 pimiento ● 6 champiñones ● Perejil fresco picado ● Sal, pimienta

En una cacerola, ase el pimiento cortado en dados. Luego, moje los dados de pimiento en 3/4 de litro de agua hirviendo. Salpimiente. Cueza a fuego lento 15 minutos. Añada los champiñones cortados toscamente. Cueza 10 minutos más. Espolvoree con perejil fresco picado.

¡Además!

Prepare una crema inglesa con 1 yema de huevo sobrante del *mousse* de durazno para acompañar el postre.

No olvide...

La miel es un azúcar por derecho propio. Su interés se encuentra en los extractos de las plantas que las abejas han libado.

Azúcar: 384 kcal/100 g; miel: 300 kcal/100 g.

Balance del día

Alrededor de 1400 kcal

25% de proteínas

20% de lípidos

55% de glúcidos

DELICIA DEL DÍA

Mousse de duraznos y albaricoques

Receta: 1 durazno ● 2 albaricoques ● 1 pizca de vainilla en polvo ● Azúcar edulcorante líquida resistente al calor ● 2 claras de huevo

Cueza las frutas en una cacerola con 1 cda. de agua, después de haberlas lavado, deshuesado y cortado en trozos. Añada la vainilla durante la cocción. Bata las claras de huevo a punto de turrón. Mezcle la compota con las claras. Endulce al gusto con azúcar edulcorante. Consuma 30 minutos después de su preparación.

semana 9

LISTA DE COMPRAS DE LA SEMANA 9

Los sobrantes de la semana anterior

1/2 plátano
1/2 pimiento
1 porción de queso Fourme
d'Ambert
Ajo
1 porción de queso gruyer
Se utilizarán esta semana.

Comestibles

2 latas de camarones rosados
(2 x 100 g)
13 huevos

Panadería

1 pan integral
1 panecillo de leche

Bebidas

¡No olvide el agua!
1 jugo de manzana (200 g) sin
azúcar
2 jugos de tomate (200 g x 2)
sin azúcar
1 botella de vino tinto de
mesa

Hierbas aromáticas frescas

Perifollo
Menta
Cebollín
Estragón

Infusión de hierbas

Hierba de San Juan

Verduras

3 alcachofas enteras (o 3 corazones de alcachofas)
200 g de salsifí
6 espárragos
1 betabel
2 zanahorias
3 ramas de apio
1 bulbo pequeño de apio-nabo
12 champiñones
1 pepino
1 endivia
400 g de espinacas frescas
1 bulbo de hinojo
200 g de ejotes
1 cebolla amarilla

5 cebollas blancas
3 papas
3 tomates
1 manojo de perejil

Frutas

3 albaricoques
2 nectarinas
4 limones
200 g de frambuesas
150 g de grosellas rojas
2 ramas de angélica fresca o
50 g de angélica confitada
1 mango
1 melón
1 naranja
5 duraznos
3 manzanas
4 ciruelas
1 pera
1 toronja

Lácteos

250 g de queso blanco
1 bote de crema fresca
125 g de mantequilla
2 litros de leche descremada
100 g de requesón fresco
1 queso de cabra fresco (80 g)
(2 porciones de peso medio)
6 quesos tipo petit-suisse
1 queso munster (6 porciones)
4 yogures búlgaros

Carnicería

Compre las carnes y el pescado a medida que se necesiten,
el día anterior a su consumo.

SEGUNDO DÍA

1 medallón de res (unos
120 g)

TERCER DÍA

1 filete de res (unos 120 g)

CUARTO DÍA

1 rebanada de jamón blanco
(unos 100 g)

QUINTO DÍA

1 hígado de ternera de 120 g

SEXTO DÍA

120 g de carne de res molida
1 rebanada de jamón blanco
(unos 100 g)

SÉPTIMO DÍA

1 trozo de cordero tierno
(unos 120 g)

Pescadería

PRIMER DÍA

1 lenguado en filetes

SEGUNDO DÍA

8 camarones grandes

CUARTO DÍA

6 sardinas frescas

Varios

■ Prepare por adelantado 2
litros de caldo de verduras
para las noches de la semana.

■ Prevea 2 lechugas frescas
como acompañamiento de las
comidas de la semana.

■ No olvide llenar el frigorífico con "antiantojos".

■ Verifique que no falte nada
en la "despensa ideal".

SEMANA 9

DÍA 1

MENÚ DE LA MAÑANA

- Café o té sin azúcar
- *Strudel* de mango*
- 1/2 toronja

*Receta 1 yema de huevo ● 3 cdas. de leche descremada ● 2 cdas. de harina integral ● 2 cdtas. de mantequilla ● 1 cdta. de almendras molidas ● 1 pizca de canela ● Azúcar edulcorante líquida resistente al calor ● 1 pizca de vainilla en polvo ● ½ mango

Bata la yema de huevo con unas gotas de azúcar. Añada las almendras, la vainilla y la leche descremada. Reserve la crema obtenida. En una cacerola, derrita la mantequilla. Aparte del fuego, agregue la harina. Endulce con unas gotas de azúcar edulcorante y póngale la canela. La mezcla debe quedar granulosa. En un refractario, coloque la fruta en trozos pequeños. Cubra con la crema y después espolvoree con la mezcla. Gratine 10 minutos. Vigile la cocción, que es lenta, los trozos de pasta deben estar dorados.

MENÚ DEL MEDIODÍA

- 1 porción de pan integral
- Ensalada de espinacas*
- 1 porción de queso de cabra fresco
- 1/2 mango
- Café o té sin azúcar

*Receta: 200 g de hojas frescas de espinaca ● 2 huevos duros ● 1/2 cdta. de salsa Worcestershire ● 1/2 yogur búlgaro ● 1/2 cdta. de vinagre ● Sal, pimienta

Lave las espinacas, emplee solamente las hojas. Píquelas toscamente. En una ensaladera, mezcle el huevo duro picado, el yogur y la salsa Worcestershire. Salpimiente. Añada las espinacas escurridas. Mezcle. Ponga 15 minutos en el frigorífico.

MENÚ DE LA NOCHE

- 1 tazón de caldo de verduras
- 1 porción de pan integral
- Filete de lenguado en vino blanco*
- Lechuga con limón
- 1 yogur

- 1/2 plátano
- Infusión

*Receta: Los filetes de 1 lenguado ● 1 zanahoria ● 1/2 pepino ● 1 cebolla blanca ● 2 hojas de menta ● Perejil fresco picado ● 1 vaso de vino blanco ● 1/2 limón ● Sal, pimienta ● 200 g de ejotes

Prepare una marinada con el vino blanco, la cebolla cortada y la zanahoria en rodajas. Ponga en ella el pescado 30 minutos. Corte el pepino en dados después de haberlo pelado y retirado las pepitas. En la canastilla de una vaporera, coloque las verduras con los filetes de pescado encima. Espolvoree con menta y perejil picado. Vierta la marinada en el fondo de la vaporera. Añada un vaso de agua y coloque la canastilla encima. Tape y cueza en estofado de 15 a 20 minutos. Decore con una rodaja de limón. Cocine los ejotes al vapor aparte durante 10 minutos o encima de la marinada después de haber cocido el pescado. En este caso, mantenga el pescado caliente.

No olvide...

Prepare la mermelada de duraznos para mañana por la mañana y los hielos para el *lassi* del mediodía.

Balance del día
Alrededor de 1300 kcal
25% de proteínas
20% de lípidos
55% de glúcidos

DELICIA DEL DÍA

Salsa verde

Receta: 10 hojas de berro ● 5 hojas de espinacas ● Perejil fresco picado ● Perifollo fresco picado ● Estragón fresco picado ● 1 cda. de mostaza ● 100 g de queso blanco ● 1 cdta. de vinagre ● Sal, pimienta ● 1 cdta. de aceite

En una cacerola de agua hirviendo con sal, cueza 5 minutos las hojas de berro, las espinacas, el perejil, el perifollo y el estragón. Escurra bien. Mezcle. En un tazón bata la mostaza, el queso blanco, el aceite y el vinagre. Salpimiente ligeramente. Añada el puré de verduras. Revuelva bien.

SEMANA 9   DÍA 2

MENÚ DE LA MAÑANA

- Café o té sin azúcar
- Panecillo de leche con mermelada de duraznos*
- 1 jugo de tomate

*Receta: 1 panecillo de leche ● La mitad de la mermelada de duraznos (receta 10.2)

Unte el panecillo de leche cortado en 2 con la mermelada de duraznos cuya receta ya se explicó.

MENÚ DEL MEDIODÍA

- 1 porción de pan integral
- Medallón de res con almendras y pasas*
- Lechuga con vinagreta ligera
- 100 g de queso blanco
- 1/2 melón
- *Lassi* (receta 12.5)
- Café o té sin azúcar

*Receta: 1 medallón de res ● 2 cdas. de uvas pasas claras ● 5 almendras ● 1 cda. de fondo de ternera ● Sal, pimienta ● 1 cebolla blanca ● 3 papas

Cueza las papas al vapor. Hidrate las uvas pasas en una cacerola de agua hirviendo durante 10 minutos. Salpimiente el medallón de res. Cocínelo en una sartén con revestimiento antiadherente. Luego, reserve la carne en el calor. Pique la cebolla. Ásela en la misma sartén y añada las almendras trituradas. Dore todo. Agregue el fondo de ternera, 5 cdas. de agua y las uvas pasas. Salpimiente. Deje unos minutos al fuego volteándolo con frecuencia. Ponga el medallón de res en un plato bañado con salsa. Acompañe con las papas.

MENÚ DE LA NOCHE

- 1 tazón de caldo de verduras
- 1 porción de pan integral
- Pepino en salsa *poulette**
- 8 camarones rosados grandes
- 1 porción de queso de cabra fresco
- Infusión

*Receta: 1/2 pepino ● 1 vaso de leche descremada ● 1 cdta. de harina ● Perejil fresco picado ● Sal, pimienta ● 1 yema de huevo

Pele el pepino y córtelo en rebanadas gruesas. Cuézalo 15 minutos en una cacerola de agua hirviendo con sal. Escurra las rebanadas de pepino. Prepare la salsa diluyendo la harina en la leche. Caliente 5 minutos revolviendo constantemente. Aparte del fuego y añada una yema de huevo. Revuelva con fuerza. Bañe los pepinos, espolvoree con perejil y sirva caliente.

¡Además!
Consiéntase con un chocolate de una gran bombonería.

No olvide...

- Vierta el resto de la mermelada en un frasco herméticamente cerrado y colóquelo en la parte más fría del frigorífico para una próxima utilización (receta 10.7)

Cuando tenga una invitación o si a la hora del aperitivo es imposible evitar "el brindis de la amistad"... elija un jugo de verduras o un jugo de fruta sin azúcar.

Balance del día
Alrededor de 1400 kcal
30% de proteínas
20% de lípidos
50% de glúcidos

DELICIA DEL DÍA

Crema de espárragos

Receta: 3 espárragos ● 1 cdta. de aceite ● 1 pizca de ajedrea ● 1/2 cubo de consomé ● Sal, pimienta

Cueza los 3 espárragos en una cacerola de caldo (½ litro de agua hirviendo a la que le habrá añadido ½ cubo de consomé). Mezcle todo y añada la cda. de aceite. Salpimiente al gusto y espolvoree con una pizca de ajedrea.

SEMANA 9

DÍA 3

MENÚ DE LA MAÑANA

■ Café o té sin azúcar
■ Cereales, queso blanco y compota de melón*

*Receta: I pan tostado ● I00 g de queso blanco ● I/2 melón ● I cdta. de vinagre ● I cdta. de azúcar edulcorante líquida resistente al calor

Corte el melón en dados. Cueza a fuego muy lento I5 minutos en una cacerola con el vinagre, 3 cdas. de agua y el azúcar edulcorante. La fruta debe estar suave para aplastarla con el tenedor. Deje enfriar. Sirva frío mezclado con el queso blanco.

MENÚ DEL MEDIODÍA

■ I porción de pan integral
■ Salsifí a la provenzal*
■ Lechuga con vinagreta ligera
■ I porción de queso Fourme d'Ambert
■ Café o té sin azúcar

*Receta: 200 g de salsifís ● I/2 limón ● Perejil fresco picado ● I punta de ajo ● Sal, pimienta ● I filete de res

Lave bien los salsifís raspándolos. Córtelos en trozos de 5 a 7 cm y póngalos poco a poco en una cacerola de agua hirviendo con sal y limón. Hierva 30 minutos. Escurra. Ase la carne en una sartén con revestimiento antiadherente untada de aceite. Luego añada y ase 5 minutos los salsifís revolviendo con suavidad para que no se deshagan. Salpimiente. Salpique con ajo y perejil picados finamente.

MENÚ DE LA NOCHE

■ I tazón de caldo de verduras
■ I porción de pan integral
■ *Omelette* de puntas de espárragos*
■ Lechuga con limón
■ 50 g de requesón fresco
■ 3 albaricoques
■ Infusión

*Receta: 2 huevos ● 6 espárragos ● Cebollín fresco picado ● I cdta. de leche descremada ● Sal, pimienta ● I cdta. de mantequilla

Bata los huevos con el cebollín picado. Salpimiente. Cueza las puntas de espárragos (los 6 cm más tiernos) en una cacerola de agua hirviendo con sal durante I0 minutos. Escurra. Derrita la mantequilla en una sartén con revestimiento antiadherente. Fría las puntas de espárragos, vacíele los huevos encima y cueza a fuego lento hasta que cuajen. Espolvoree con cebollín picado.

¡Además!
- Prepare una ensalada con los tallos de los espárragos cocidos cortados en trozos pequeños acompañados con I salsa vinagreta ligera o de 3 cdas. de queso blanco a las hierbas.
- El caldo corto.
Para ser perfecto, debe tener trozos de zanahoria, ajedrea, cebolla, ajo, bayas de enebro, pimiento, pimienta triturada, cilantro, albahaca, mostaza, hinojo y I hoja de laurel. El caldo corto es el líquido resultante de estos ingredientes cocidos en agua hirviendo. No debe ponérsele sal. Es el compañero ideal de una dieta en la que el pescado cocido al natural (en caldo corto) se come con frecuencia.

No olvide...
Prepare las sardinas en escabeche y la bavaresa de grosellas para mañana al mediodía.

Balance del día
Alrededor de I400 kcal
25% de proteínas
20% de lípidos
55% de glúcidos

DELICIA DEL DÍA

Mayonesa ligera o falsa mayonesa

Receta: I yema de huevo ● I cda. de mostaza ● 50 g de queso blanco ● El jugo de ½ limón ● Sal, pimienta

Mezcle todos los ingredientes y bata vigorosamente.

SEMANA 9 DÍA 4

MENÚ DE LA MAÑANA

■ Café o té sin azúcar
■ Avena a la inglesa*
■ 1/2 manzana

*Receta: 1/4 de litro de leche ● 6 cdas. de hojuelas de avena ● 1 pizca de sal ● 1 cdta. de miel ● 1 cdta. de mantequilla ● 1 pizca de canela

Vacíe la leche en una cacerola y mezcle las hojuelas de avena. Añada la sal. Lleve al punto de ebullición revolviendo constantemente alrededor de 15 minutos. Endulce el cereal con miel. Vacíe en un plato con la mantequilla y la canela.

MENÚ DEL MEDIODÍA

■ 1 porción de pan integral
■ Sardinas en escabeche*
■ 3 corazones de alcachofas con vinagreta ligera (receta 9.4.)
■ Bavaresa de grosellas
■ Café o té sin azúcar

*Receta: 6 sardinas frescas ● 1 zanahoria ● 1 cebolla blanca ● 1 punta de ajo ● 1/2 vaso de vino blanco ● 2 cdas. de vinagre ● Estragón fresco picado ● Sal, pimienta ● Sal gruesa

Ponga las sardinas sin las cabezas en un plato, espolvoree con sal gruesa. Deje reposar 30 minutos. Voltéelas 1 vez. Ponga las cabezas de los pescados en el fondo de una vaporera. Añada 1/2 litro de agua, hierva 10 minutos. Reserve. Corte la zanahoria en rodajas finas, pique el ajo y la cebolla. Cueza las verduras en una cacerola con un vaso chico de agua, el vino blanco y el vinagre. Salpimiente. Lleve al punto de ebullición. Reserve. Ponga las sardinas en la canastilla de la vaporera y cueza al vapor 5 minutos. Disponga las sardinas cocidas en una fuente, cubra con el caldo de verduras hirviendo y deje reposar tapado 12 horas en el frigorífico.

MENÚ DE LA NOCHE

■ 1 tazón de caldo de verduras

■ 1 porción de pan integral
■ Ensalada compuesta de jamón*
■ 50 g de requesón fresco
■ Infusión

*Receta: 1 rebanada de jamón ● 3 ramas de apio ● 1 bulbo pequeño de apio-nabo ● El jugo de 1/2 limón ● 1 endivia ● 3 champiñones ● 1/2 manzana ● 1/2 betabel ● Perejil fresco picado ● 3 cdas. de vinagreta ligera

Corte todos los ingredientes en dados pequeños y ralle el apio-nabo. Prepare la vinagreta en una ensaladera antes de añadir todos los ingredientes. Mezcle y espolvoree con perejil fresco picado.

No olvide...

Después de haberles quitado las hojas y los filamentos, cocine los corazones de alcachofas al vapor 15 minutos, o cuézalos enteros y consuma con la comida las hojas acompañadas de 2 cdas. de vinagreta ligera.

Balance del día

Alrededor de 1400 kcal
25% de proteínas
20% de lípidos
55% de glúcidos

DELICIA DEL DÍA

Bavaresa de grosellas

Receta: 100 g de grosellas ● 4 cdas. de leche descremada en polvo ● 3 hojas de gelatina ● Azúcar edulcorante en polvo

Reduzca los 100 g de grosellas a puré después de haberlas lavado y secado. Añada la leche descremada en polvo diluida en 10 cl de agua. Endulce al gusto con azúcar edulcorante en polvo. Si es necesario, bata hasta obtener una mezcla bien tersa. Remoje las hojas de gelatina en agua fría 5 minutos para que se ablanden y luego derrítalas en una cacerola al fuego unos minutos con 3 o 4 cdas. de agua. Revuelva constantemente. Añada la gelatina a la mezcla. Vacíe en un molde y ponga en el frigorífico de 5 a 6 horas.

SEMANA 9   DÍA 5

MENÚ DE LA MAÑANA

■ Café o té sin azúcar
■ *Crumble* de durazno*
■ I jugo de tomate

*Receta: I queso tipo petit -suisse ● I clara de huevo ● 3 cdas. de hojuelas de avena ● 5 cdas. de corn flakes ● 3 cdas. de granola sin azúcar ● Azúcar edulcorante líquida resistente al calor ● I pan tostado ● 2 duraznos ● I punta de canela

Ponga los duraznos lavados, deshuesados y cortados en trozos pequeños en un plato refractario (corte las frutas encima del plato para recuperar el jugo). Bata el queso tipo petit-suisse y la clara de huevo. Agregue las hojuelas de avena, los *corn flakes* y la granola. Añada unas gotas de azúcar edulcorante. Vacíe sobre las frutas cubriéndolas por completo. Espolvoree con canela y pan molido (deshaga el pan tostado). Gratine 10 minutos. Vigile la cocción.

MENÚ DEL MEDIODÍA

■ Hígado de ternera con tomate*
■ Ensalada de 1/2 betabel con vinagreta ligera
■ Frambuesas en vino (receta 9.5)
■ Café o té sin azúcar

*Receta: I rebanada de hígado de ternera ● 2 tomates ● 1/2 cubo de consomé ● Unas gotas de vinagre ● 1/2 cebolla ● I punta de ajo ● Tomillo ● Laurel ● Sal, pimienta ● 60 g de pasta en conchitas

Pique la cebolla, el ajo, y corte los tomates en cuartos. Vacíe todos los ingredientes excepto el hígado en una olla y rehogue 15 minutos revolviendo constantemente. Añada el hígado cortado en tiras gruesas. Cueza 5 minutos más. Cocine la pasta aparte en una cacerola de agua hirviendo con sal.

MENÚ DE LA NOCHE

■ I tazón de caldo de verduras
■ I porción de pan integral
■ Ensalada de camarones con champiñones*
■ I porción de queso munster
■ I pera
■ Infusión

*Receta: I lata de camarones rosados en conserva ● 5 champiñones ● 10 hojas de lechuga muy tiernas ● Sal, pimienta ● Perejil fresco picado ● 60 g de mayonesa ligera (receta 9.3.)

Rebane los champiñones. Corte las hojas de lechuga en tiras. Prepare la mayonesa ligera (explicada anteriormente). En una ensaladera, mezcle los camarones rosados con todos los ingredientes. Añada los condimentos. Espolvoree con perejil fresco picado.

¡Además!
- Aromatice la porción de queso munster con una pizca de comino en grano.
- Pueden sustituirse los camarones en lata de la receta de la noche por 100 g de camarones frescos enjuagados con agua fría y pelados.

No olvide...
Verifique que haya hojas de lechuga muy tiernas para la ensalada de camarones con champiñones de esta noche.

Balance del día
Alrededor de 1400 kcal
30% de proteínas
15% de lípidos
55% de glúcidos

DELICIA DEL DÍA

Frambuesas en vino

Receta: **100 g de frambuesas frescas ● 1/2 vaso de vino tinto ● 1/2 cdta. de vainilla en polvo ● Azúcar edulcorante en polvo**

Lave los 100 g de frambuesas frescas y escúrralas bien. Vacíelas en una ensaladera. Añada el vino tinto aromatizado con la 1/2 cdta. de vainilla en polvo y el azúcar edulcorante. Macere 30 minutos en un lugar fresco.

SEMANA 9

DÍA 6

MENÚ DE LA MAÑANA

- Café o té sin azúcar
- *Corn flakes* con ciruelas*
- I jugo de manzana

*Receta: 10 cdas. de *corn flakes* ● 15 cl de leche descremada ● 4 ciruelas ● Azúcar edulcorante líquida

Vacíe en un plato hondo las ciruelas cortadas en trozos y los *corn flakes*. Vierta la leche tibia en el último momento. Endulce al gusto con azúcar edulcorante.

MENÚ DEL MEDIODÍA

- I porción de pan integral
- Pastel de carne*
- Lechuga con vinagreta ligera
- Compota de manzanas y frambuesas (receta 2.5)
- Café o té sin azúcar

*Receta: 120 g de carne de res molida ● I punta de ajo ● 6 cdas. de leche descremada ● I huevo ● Perejil fresco picado ● I pan tostado ● Sal, pimienta ● I punta de pimentón (paprika)

Remoje el pan tostado en la leche. Una vez blando, mézclelo con la carne, el huevo y los aromatizantes picados. Presione todo en un refractario. Hornee (160 a 180° C) 30 minutos. Puede servirse frío o caliente.

MENÚ DE LA NOCHE

- I tazón de caldo de verduras
- I porción de pan integral
- Soufflé de espinacas*
- Lechuga con limón
- I rebanada de jamón blanco
- I queso tipo petit-suisse
- Infusión

*Receta: 2 huevos ● 200 g de espinacas ● Sal, pimienta ● Nuez moscada rallada

Caliente el horno (220 a 240 ° C). Cueza las espinacas sin los tallos en una cacerola de agua hirviendo con sal 10 minutos. Escurra y deje enfriar. Separe las claras de los huevos. Machaque las espinacas con el tenedor. Salpimiente. Espolvoree con nuez moscada. Añada las yemas de los huevos y mezcle bien. Bata las claras a punto de turrón con una pizca de sal. Incorpórelas de forma envolvente a las espinacas y hornee (200 a 240° C) 20 minutos. Vigile la cocción sin abrir la puerta del horno.

¡Además!
Una infusión: la hierba de San Juan.
Planta redescubierta recientemente por sus virtudes tranquilizantes. Calma las angustias y conduce al "reposo de las almas atormentadas". Su sabor es frágil y revelará todo su aroma si se toma al natural.

No olvide...

No lleve una mantequillera a la mesa, es demasiado tentador… Sirva sólo la cantidad necesaria para el platillo.

Balance del día

Alrededor de 1400 kcal
25% de proteínas
20% de lípidos
55% de glúcidos

DELICIA DEL DÍA

Mermelada de albaricoque

Receta: **5 albaricoques ● 2 cdtas. de azúcar edulcorante líquida resistente al calor ● I hoja de gelatina ● 2 ramas de angélica fresca o 50 g de angélica confitada**

Lave las frutas. Pélelas y deshuéselas. Córtelas en trozos y vacíelas en una cacerola. Rocíe con 5 cdas. de agua. Añada el azúcar edulcorante. Cueza las frutas 20 minutos revolviendo todo el tiempo. Agregue la angélica picada finamente. Cueza 15 minutos moviendo con frecuencia. Ponga la hoja de gelatina remojada en agua fría para ablandarla. Vacíela en la mermelada para disolverla. Hierva 5 minutos sin dejar de revolver. Vacíe en un tazón para que se enfríe al menos 1 hora (de ser posible, una noche).

SEMANA 9

MENÚ DE LA MAÑANA

- Café o té sin azúcar
- Batido de grosella*
- 1 porción de pan integral (2 rebanadas finas)
- 1 cdta. de mantequilla

*Receta: 10 cl de leche descremada ● 150 g de grosellas ● 1/2 cdta. de vainilla en polvo ● Azúcar edulcorante en polvo

Lave las grosellas pasándolas por agua hirviendo. Escúrralas bien. Mezcle las frutas, la leche y la vainilla en polvo hasta que espume la leche. Endulce al gusto con el azúcar edulcorante en polvo justo antes de servir.

MENÚ DEL MEDIODÍA

- 1 porción de pan integral
- Brocheta a la parrilla*
- Ensalada de 1 bulbo de hinojo rebanado con salsa de eneldo (receta 1.4)
- Tarta merengada de manzanas sin pasta (receta 13.1)
- Café o té sin azúcar

*Receta: 1 trozo de cordero ● 4 champiñones pequeños ● 1 tomate ● 2 cebollas blancas ● ½ pimiento ● Sal, pimienta

Corte la carne en 5 trozos. Tome una brocheta y ensarte alternativamente los champiñones, las cebollas, la carne y el medio pimiento cortados en trozos. Salpimiente y ponga la brocheta 15 minutos en la parrilla del horno dándoles vuelta de manera regular. Se puede degustar esta brocheta con 1 cda. de chutney (sobrante).

MENÚ DE LA NOCHE

- 1 tazón de caldo de verduras
- Curry de camarones*
- Lechuga con limón
- 2 nectarinas
- Infusión

*Receta: 1 lata de camarones rosados al natural ● 1 cdta. de mantequilla ● 1/2 vaso de leche descremada ● 1 pan tostado ● Sal, pimienta ● 1 cdta. de curry ● 30 g de arroz blanco

DÍA 7

Cueza el arroz en una cacerola con agua hirviendo con sal. Derrita la mantequilla en una sartén antiadherente y dore los camarones apartados del fuego. Remoje el pan tostado en la leche y mézclelo con los camarones. Salpimiente. Añada el curry. En un refractario, ponga el arroz cocido, agregue los camarones y bañe con la salsa. Dore 5 minutos.

¡Además!

Consiéntase con una magdalena tradicional a la hora del café.

No olvide...

Cuando comemos, el estómago le informa al cerebro que ya no tiene hambre después de 15 a 20 minutos. Así que... coma despacio.

Balance del día

Alrededor de 1400 kcal

25% de proteínas

20% de lípidos

55% de glúcidos

DELICIA DEL DÍA

Crema de acedera

Receta: 100 g de acedera fresca ● 1 cdta. de mantequilla ● 1 cdta. de harina ● 10 cdas. de leche descremada ● Azúcar edulcorante líquida resistente al calor ● 1 pizca de nuez moscada ● 3 cdas. de crema fresca ● Sal, pimienta

Cueza la acedera en una cacerola de agua hirviendo con sal 10 minutos. Escurra. Vacíe la cacerola y derrita en ella la mantequilla. Aparte del fuego y añada la harina; bata y agregue progresivamente la leche. Endulce apenas con unas gotas de azúcar edulcorante y luego ponga la acedera y revuelva vigorosamente. Licue. Condimente con nuez moscada. Salpimiente al gusto. Deje entibiar. Añada la crema.

semana 10

LISTA DE COMPRAS DE LA SEMANA 10

Los sobrantes de la semana anterior

1/2 toronja
Mantequilla
1/2 bote de crema fresca
4 quesos tipo petit-suisse
3 porciones de queso munster
Se utilizarán esta semana.

Comestibles

1 lata de macedonia de verduras (220 de masa drenada)
1 lata de cangrejo al natural desmenuzado (100 g)
9 huevos

Panadería

1 pan integral
1 brioche pequeño

Bebidas

¡No olvide el agua!
1 botella de vino tinto de mesa
1 jugo de tomate (200 g) sin azúcar añadida

Hierbas aromáticas frescas

Perifollo
Cebollín
Albahaca

Infusión de hierbas

Valeriana

Verduras

1 cabeza de ajo
1 berenjena
1 manojo de brócoli
1 zanahoria
1 cogollo de apio
9 champiñones
1 manojo de berro
3 echalotes
200 g de espinacas frescas
1 bulbo de hinojo
450 g de ejotes
4 cebollas blancas
1 manojo de perejil fresco
1 pimiento
4 papas
4 tomates
1 pepino

Frutas

7 albaricoques
2 nectarinas
100 g de grosellas
7 limones
2 higos frescos
300 g de frambuesas
100 g de grosellas rojas
1 mango
1 melón
2 naranjas
1 toronja
5 duraznos
10 ciruelas
50 g de fresas frescas
1 racimo de uvas negras (120 g)
50 g de uvas claras grandes

Lácteos

1 bote de crema fresca
500 g de queso blanco
120 de queso gruyer (para 4 porciones de peso medio)
120 g de queso cantal semiañejo
1 litro de leche descremada
1 bloque de tofu (máximo 100 g)
120 g de queso roquefort (para 4 porciones de peso medio)
6 yogures
1 yogur búlgaro

Carnicería

Compre las carnes y el pescado a medida que se necesiten, el día anterior a su consumo.

PRIMER DÍA

1 rebanada de rosbif (120 g de peso medio)

SEGUNDO DÍA

1 rebanada de jamón blanco (unos 100 g)

TERCER DÍA

130 g de corazón de res
1 medallón de res (unos 120 g)

CUARTO DÍA

1 muslo de conejo (unos 140 g)

SEXTO DÍA

150 g de pechuga de pollo
1 rebanada de jamón blanco (unos 100 g)

SÉPTIMO DÍA

1 rebanada de jamón crudo (80 g)

Pescadería

SEGUNDO DÍA

1 rebanada de atún fresco (unos 130 g)

QUINTO DÍA

1 filete de merluza (unos 130 g)

SÉPTIMO DÍA

1 trozo de rape (unos 130 g)

Varios

■ Prepare por adelantado 2 litros de caldo de verduras para las noches de la semana.
■ Prevea 4 lechugas frescas como acompañamiento de las comidas de la semana.
■ No olvide llenar el frigorífico con "antiantojos".
■ Verifique que no falte nada en la "despensa ideal".

SEMANA 10

MENÚ DE LA MAÑANA

- Café o té sin azúcar
- 1 brioche
- Chocolate con leche*
- 1 yogur
- 1/2 melón

*Receta: 1 vaso de leche descremada ● 2 cdas. de cacao sin azúcar ● 1 cda. de azúcar edulcorante en polvo ● 1/2 cdta. de café instantáneo en polvo

Mezcle vigorosamente todos los ingredientes. Puede servirse frío o caliente.

MENÚ DEL MEDIODÍA

- 1 porción de pan integral
- *Rosbif* con salsa de yogur*
- Lechuga con vinagreta ligera
- 1 porción de queso munster espolvoreado con comino
- Café o té sin azúcar

*Receta: 1 papa ● 1 cdta. de mantequilla ● 1 cda. de alcaparras ● 1 yogur ● 1 bistec de carne de res ● Perejil fresco picado ● Cebollín ● Sal, pimienta

Lave, pele y corte la papa en trozos grandes. Cueza en agua con sal 20 minutos. Saltee en la sartén una vez cocida con el pimiento y la mantequilla. Condimente el yogur con el cebollín, las alcaparras y el perejil fresco picado. Añada sal. Cueza la carne en la sartén (vuelta y vuelta). Sirva los 3 elementos (yogur, carne y papas) por separado en una fuente.

MENÚ DE LA NOCHE

- 1 tazón de caldo de verduras
- 1 porción de pan integral
- Berenjena asada*
- Lechuga con limón
- 1 queso tipo petit-suisse
- Infusión

*Receta: 1 berenjena pequeña ● Perejil fresco picado ● 1/2 limón ● 1 cda. de harina ● 1 cdta. de aceite de oliva ● 100 g de tofu ● 1 echalote ● 1 punta de azafrán

Lave y pele la berenjena, córtela en láminas de 1/2 centímetro de grueso a lo largo. Rocíe

DÍA 1

con jugo de limón. Espolvoree las láminas con harina y úntelas con aceite. Ase la berenjena en la sartén. Prepare la salsa: pele el echalote, mezcle el tofu, el echalote, el jugo de ½ limón, el azafrán, la sal y la pimienta. Decore con 1 rebanada de limón y espolvoree con perejil fresco picado. Ponga la salsa 15 minutos en el frigorífico, quedará mejor.

¡Además!

Una especia: el clavo.

Utilizada como complemento de otros aromas, (las 4 especias, el masala, el curry indio), acompaña las cocciones largas y saladas (guisos, pucheros) y dulces (pan de especias). Su gusto fuerte, semejante al fenol, es agradable cuando está diluido en un plato cocido, en pequeña cantidad; cuando se encuentra aislado, no es del agrado de todos. Para no dejarlo entero en un plato, incrústelo en una cebolla o en una zanahoria: así podrá sacarlo fácilmente antes de servir.

No olvide...

Coma una manzana a mordidas: es excelente para las encías y es bueno para quitar el hambre.

Balance del día
Alrededor de 1400 kcal
25% de proteínas
20% de lípidos
55% de glúcidos

DELICIA DEL DÍA

Ensalada de frutas: melón y kiwi

1/2 melón ● 1 kiwi ● 1 limón amargo ● 1 cda. de vino blanco ● Azúcar edulcorante en polvo

Pele las frutas; corte en dados el melón y en rebanadas delgadas el kiwi encima de un tazón para no perder el jugo. Vacíe los trozos de frutas en el tazón. Rocíe el vino blanco y el jugo de las frutas. Endulce al gusto con azúcar edulcorante. Sirva fresco.

SEMANA 10

DÍA 2

MENÚ DE LA MAÑANA

- Café o té sin azúcar
- 1 huevo duro
- Compota de melón con uvas*
- 1/2 toronja
- 1 porción de pan integral
- 1 cdta. de mantequilla

*Receta: 1/2 melón ● 50 g de uvas claras grandes ● 1 cdta. de vinagre ● 1/2 cdta. de azúcar edulcorante líquida resistente al calor

Corte el melón en dados pequeños. Corte las uvas en 2 o en 4 y quíteles la piel y las semillas. Vacíe todo en una cacerola con el vinagre, 3 cdas. de agua y el azúcar edulcorante. Cueza a fuego muy lento revolviendo constantemente. Deje entibiar.

MENÚ DEL MEDIODÍA

- 1 porción de pan integral
- Atún con mantequilla de ajo*
- Lechuga con vinagreta ligera
- 1 yogur
- Gratín de mango a la vainilla (receta 6.3)
- Café o té sin azúcar

*Receta: 1 rebanada de atún ● 1 cda. de mantequilla de ajo (receta 3.7.) ● 200 g de ejotes

Ase el pescado en una sartén antiadherente untada con aceite. Cueza los ejotes al vapor. En el plato, ponga una nuez de mantequilla sobre el atún con los ejotes alrededor.

MENÚ DE LA NOCHE

- 1 tazón de caldo de verduras
- 1 porción de pan integral
- Hinojo a la provenzal*
- Lechuga con limón
- 1 porción de queso munster
- 2 nectarinas
- Infusión

*Receta: 1 bulbo de hinojo ● 1 tomate ● 1 cdta. de aceite ● 1/2 cdta. de vinagre ● Sal, pimienta ● Perejil fresco picado ● Albahaca fresca picada ● 1 rebanada de jamón blanco

Corte el hinojo y el tomate en rebanadas finas. En una ensaladera prepare una salsa con el vinagre, el aceite y la albahaca. Añada las verduras. Espolvoree con albahaca y perejil. Cueza los huevos hasta que estén duros y añádalos a la ensalada.

¡Además!

Una infusión: la valeriana.
Las virtudes de la valeriana son numerosas. Calma los nervios, los dolores, las emociones y favorece el sueño. Es una planta con un sabor suave y cálido, ligeramente picante. Puede tomarse sola o con pasiflora, que tiene virtudes complementarias.

No olvide...

Tomar agua no hace ni adelgazar ni aumentar de peso, sino que permite la eliminación de toxinas, hidrata, limpia. En una palabra, es indispensable para la vida.

Balance del día
Alrededor de 1400 kcal
25% de proteínas
20% de lípidos
55% de glúcidos

DELICIA DEL DÍA

Mermelada de duraznos

Receta: 3 duraznos ● 1 cdta. de coñac ● 1 punta de vainilla en polvo ● 2 cdas. de azúcar edulcorante líquida resistente al calor ● 1 hoja de gelatina ● 2 ramas de angélica fresca o 50 g de angélica confitada

Lave las frutas. Pélelas y deshuéselas. Córtelas en trozos y póngalas en una cacerola. Rocíe con 5 cdas. de agua. Endulce con azúcar edulcorante. Cueza las frutas 20 minutos revolviendo todo el tiempo. Añada la angélica picada finamente. Al cabo de 20 minutos, agregue la hoja de gelatina remojada en el agua fría para ablandarla. Vacíela en la mermelada para que se derrita 5 minutos sin dejar de revolver. Ponga en un tazón para que se enfríe al menos 1 hora.

SEMANA 10

MENÚ DE LA MAÑANA

- Café o té sin azúcar
- Granola, yogur y ciruelas cocidas*
- 1/2 toronja

*Receta: 5 cdas. de granola sin azúcar ● 1 yogur
● 6 ciruelas ● 1 punta de anís molido ● 1 punta
de canela en polvo ● 1 clavo de olor ● 1 punta de
vainilla en polvo ● Azúcar edulcorante líquida
resistente al calor**

Corte las ciruelas en 2 (deje los huesos) y escálfelas 10 minutos en una cacerola de agua hirviendo endulzada con azúcar edulcorante y en
la cual se habrá hecho una infusión de clavo de
olor, canela, vainilla y anís. Escurra. Retire los huesos. Mezcle en un plato hondo el yogur y la granola y añada las ciruelas tibias. Pueden agregarse
también 3 cdas. del jugo de la cocción.

MENÚ DEL MEDIODÍA

- 1 porción de pan integral
- Corazón asado*
- Ensalada de 1/2 pepino con salsa de eneldo
(receta 1.4)
- 1 porción de queso munster
- Durazno con vino (receta 10.3)
- Café o té sin azúcar

*Receta: 1 trozo de corazón de res ● 7 champi-
ñones ● 1 cdta. de salsa Worcestershire ● El
jugo de 1 limón ● 1 cdta. de mostaza ● Sal,
pimienta ● Perejil fresco picado ● 200 g de
espinacas**

Mezcle los champiñones picados, la mostaza,
la salsa Worcestershire y el jugo de limón.
Salpimiente. En una sartén antiadherente vacíe
la mezcla. Caliente de 2 a 3 minutos. Añada
el corazón cortado en trozos. Cueza 5 minutos revolviendo frecuentemente. Presente en
una fuente bañado con la salsa y espolvoree
con perejil fresco picado. Sofría las espinacas 3
minutos en la sartén sin enjuagar.

MENÚ DE LA NOCHE

- 1 tazón de caldo de verduras
- 1 porción de pan integral

DÍA 3

- Brócoli al horno*
- 1 medallón de res asado
- Lechuga con limón
- 3 albaricoques
- Infusión

*Receta: 1 manojo de brócoli ● 1 porción de
queso gruyer rallado ● 2 tomates ● Perejil
fresco picado ● 1 punta de ajo ● Sal, pimienta**

Cueza 10 minutos el brócoli en una cacerola de agua hirviendo con sal. Desmenuce
el brócoli toscamente y acomódelo en el
fondo de un refractario. Ponga una capa de
tomates cortados en rebanadas gruesas sobre
el brócoli. Espolvoree con queso gruyer rallado. Salpimiente. Espolvoree con perejil fresco
picado y hornee (220 a 24 ° C) 10 minutos.
Gratine.

¡Además!

No espere a tener hambre para cocinar.
Acostúmbrese más bien a respetar las horas
de comida regulares.

No olvide...

Beba al menos un litro y medio de agua o de
líquido (tisanas…) diariamente.

Balance del día

Alrededor de 1300 kcal

30% de proteínas

15% de lípidos

55% de glúcidos

DELICIA DEL DÍA

Duraznos al vino

Receta: 2 duraznos ● 1 vaso de vino tinto ●
1 cdta. de jugo de limón ● 1/2 cdta. de canela
molida ● 1 punta de vainilla en polvo ● 1 flor
de anís estrella ● Azúcar edulcorante líquida
resistente al calor

Pele los duraznos y córtelos en 2. Deshuese.
En una cacerola, vierta el vino y un poco de
agua hasta cubrir la fruta. Añada los aromatizantes y el jugo de limón. Endulce al gusto con
azúcar edulcorante. Cueza durante 5 minutos.

SEMANA 10   DÍA 4

MENÚ DE LA MAÑANA

- Café o té sin azúcar
- *Strudel* de higos y frambuesas*
- 1 naranja

*Receta: 1 yema de huevo ● 3 cdas. de leche descremada ● 2 cdas. de harina integral ● 2 cdtas. de mantequilla ● 1 cdta. de almendras molidas ● 1 pizca de canela ● Azúcar edulcorante líquida resistente al calor ● 1 pizca de vainilla en polvo ● 2 higos frescos ● 100 g de frambuesas frescas

Bata la yema de huevo con unas gotas de azúcar edulcorante. Añada las almendras molidas, la vainilla y la leche descremada. Reserve la crema obtenida. En una cacerola, derrita la mantequilla. Aparte del fuego y agregue la harina. Endulce con unas gotas de azúcar edulcorante. Ponga la canela. La mezcla debe quedar granulosa. En un refractario, coloque las frutas en pequeños trozos. Cubra con la crema y luego espolvoree con la mezcla granulosa, gratine 10 minutos. Vigile la cocción, que es rápida; los trozos de pasta deben estar dorados.

MENÚ DEL MEDIODÍA

- 1 porción de pan integral
- Conejo a la mostaza*
- Lechuga con vinagreta ligera
- 1 durazno
- Café o té sin azúcar

*Receta: 1 muslo de conejo ● 5 cdas. de queso blanco ● 1 cda. de mostaza ● 1/2 cdta. de maicena ● 1/2 cdta. de aceite ● Tomillo ● Sal, pimienta ● 200 g de ejotes

Bata el queso blanco e incorpore la mostaza y la maicena. Aliñe el conejo generosamente con esta mezcla. Unte un poco con aceite un refractario y coloque el conejo. Salpimiente. Espolvoree con tomillo. Tape con papel de aluminio y hornee (240 a 260 ° C) 20 minutos. Verifique la cocción. Destape. Cueza 7 u 8 minutos más. Acompañe con los ejotes cocidos al vapor.

MENÚ DE LA NOCHE

- 1 tazón de caldo de verduras
- 1 porción de pan integral
- *Omelette* de berros*
- Lechuga con limón
- 1 queso tipo petit-suisse
- Infusión

*Receta: 2 huevos ● 1/2 manojo de berros ● 1 cda. de crema fresca ● 1/4 de limón ● Sal, pimienta 1 cdta. de mantequilla 50 g de salsa *ravigote* (receta 6.2)

Lave el berro y quíteles las puntas de los tallos. Blanquee las hojas unos minutos en una cacerola de agua hirviendo con sal. Escurra. Pique finamente los berros. Bata los huevos y la crema. Añada unas gotas de jugo de limón. Salpimiente. Incorpore los berros. Derrita la mantequilla en una sartén con revestimiento antiadherente, vacíe la *omelette* y cueza a fuego lento de 10 a 15 minutos hasta que la textura de los huevos sea la adecuada.

   ¡Además!
Consiéntase con una pastita de una pastelería tradicional para la hora del té.

   No olvide...
Verifique que haya hojas de lechuga muy tiernas para la ensalada de cangrejo de mañana por la noche.

   Balance del día
   Alrededor de 1400 kcal
   25% de proteínas
   20% de lípidos
   55% de glúcidos

DELICIA DEL DÍA

   Salsa de naranja

Receta: el jugo de 1 naranja ● 1 cda. de maicena ● Sal, pimienta ● Perifollo fresco picado

Diluya la maicena en ½ vaso de agua, espese en una cacerola a fuego lento. Condimente y añada el jugo de naranja mezclando bien. Enfríe después de haber añadido el perifollo fresco picado.

SEMANA 10

MENÚ DE LA MAÑANA

■ Café o té sin azúcar
■ Queso blanco con frutas rojas*
■ 1 porción de pan integral (2 rebanadas finas) naranja
■ 1 cdta. de mantequilla

*Receta: 150 g de queso blanco ● 100 g de gro-sellas ● 100 g de frambuesas ● 100 g de grose-llas ● 10 fresas ● Azúcar edulcorante en polvo

Pele y corte las frutas en pequeños cubos encima de un tazón para no perder el jugo. Mezcle con el queso blanco. Endulce al gusto con azúcar edulcorante.

MENÚ DEL MEDIODÍA

■ 1 porción de pan integral
■ **Merluza picante***
■ Lechuga con vinagreta ligera
■ 2 quesos tipo petit-suisse
■ Compota de albaricoques (receta 6.3.)
■ Café o té sin azúcar

*Receta: 1 filete de merluza ● 1/4 de limón ● Perejil fresco picado ● 1 cdta. de mantequilla ● 1 cebolla blanca pequeña ● 1 cdta. de alcapar-ras ● Sal, pimienta ● 3 papas

Corte la cebolla en láminas finas. Unte un plato refractario con mantequilla. Salpimiente Coloque la cebolla, las alcaparras y el jugo de 1/4 de limón. Salpimiente. Ponga la merluza en esta mezcla y hornee (200 a 240° C) 20 minu-tos. Voltee el filete una vez. El pescado debe estar cocido. Antes de servir, espolvoree con perejil fresco picado.

MENÚ DE LA NOCHE

■ 1 tazón de caldo de verduras
■ 1 porción de pan integral
■ **Ensalada de cangrejo***
■ Lechuga con limón
■ 1 porción de queso gruyer

DÍA 5

■ 1/2 toronja
■ Infusión

*Receta: 1 lata de carne de cangrejo (100 g) ● 1 lata de macedonia de verduras (100g) ● 2 huevos duros ● 4 cdas. de vinagreta ligera ● Hojas de lechuga muy tiernas

Mezcle la carne de cangrejo escurrida con la macedonia de verduras, añada la vinagreta y mezcle muy bien. Agregue la lechuga cor-tada en trozos pequeños. Revuelva un poco y decore con rodajas de huevo duro.

¡Además!

- Se puede sustituir la vinagreta de la ensalada de cangrejo por 100 g de mayonesa ligera (en ese caso, utilizar 1 huevo para la ensalada y otro para la mayonesa). Los demás ingredi-entes de la mayonesa están disponibles esta semana.

- En general, no compre, ni siquiera para ahor-rar tiempo, salsas industrializadas. Tienen más calorías que las que se hacen en casa (con-tienen harinas, azúcares, cuerpos grasos, sus-tancias para darles textura…)

No olvide...

Verifique que haya 5 hojas grandes muy verdes de lechuga disponibles para el flan de verduras de mañana por la noche.

Balance del día
Alrededor de 1400 kcal
25% de proteínas
20% de lípidos
55% de glúcidos

DELICIA DEL DÍA

Crema de grosella

Receta: 100 g de grosellas ● 100 g de crema inglesa (receta 7.3)

Mezcle las grosellas después de haberlas enjuagado y secado con un paño de cocina. Añádalas a la crema inglesa caliente.

SEMANA 10

DÍA 6

MENÚ DE LA MAÑANA

- Café o té sin azúcar
- Jamón y leche*
- 1 jugo de tomate

*Receta: 1 rebanada de jamón ● 1 vaso de leche descremada ● 1 porción de pan integral (2 rebanadas delgadas) ● 1 cdta. de mantequilla

Unte con mantequilla las rebanadas de pan y colóqueles encima ½ rebanada de jamón a cada una.

MENÚ DEL MEDIODÍA

- 1 porción de pan integral
- Brocheta de pollo*
- Lechuga con vinagreta ligera
- 100 g de queso blanco
- 4 ciruelas
- Café o té sin azúcar

*Receta: 150 g de pechuga de pollo ● ½ pimiento ● 2 cebollas blancas ● 2 champiñones ● 1 yogur ● 1 pizca de pimentón (paprika) ● Perifollo fresco picado ● Sal, pimienta

Corte el pollo en cubitos. Luego rebane el pimiento, al que se le habrán quitado las semillas, las capas de cebolla en cubitos y los champiñones en láminas gruesas. Ensarte en una brocheta alternando los ingredientes y apretándolos. Ase en la sartén o en la parrilla del horno de 15 a 20 minutos volteándolas frecuentemente. Bata el yogur con la pizca de pimentón y el perifollo fresco picado. Salpimiente. Sirva la salsa aparte.

MENÚ DE LA NOCHE

- 1 tazón de caldo de verduras
- 1 porción de pan integral
- Flan de verduras*
- Lechuga con limón
- 1 porción de queso cantal
- 1 durazno
- Infusión

*Receta: 50 g de ejotes ● 1 zanahoria ● 5 hojas de lechuga u otra variedad ● 1 huevo ● 2 cdas. de queso gruyer rallado ● 50 g de queso blanco ● 1 cdta. de aceite ● 1 pizca de nuez moscada ● Sal, pimienta

Ponga las hojas de la lechuga lavadas en el agua hirviendo durante 30 segundos. Escurra. Corte las verduras en pequeños trozos. Cuézalas en agua hirviendo con sal durante 10 minutos. Escurra. Tome un molde para soufflé, unte con aceite las paredes con un papel absorbente. Tapice el fondo y las paredes con las hojas de lechuga, de las que se reservarán 2. Bata los huevos con el queso blanco y el gruyer. Salpimiente. Agregue la nuez moscada. Ponga también las verduras. Vacíe todo en el molde, cúbralo con las 2 hojas de lechuga restantes. Hornee (220 a 240 ° C) 20 minutos.

¡Además!

1 vaso de vino tinto para acompañar la brocheta del mediodía.

No olvide...

Verifique que haya hielos para el gazpacho de mañana por la noche.

Balance del día

Alrededor de 1400 kcal
25% de proteínas
20% de lípidos
55% de glúcidos

DELICIA DEL DÍA

Crema de lechuga

Receta: 10 hojas de lechuga ● 3 cdas. de crema fresca ● 1 papa pequeña ● 1 cdta. de aceite ● 2 avellanas

Cueza 5 minutos las hojas de lechuga en una cacerola con agua hirviendo con sal. Cocine la papa cortada en cubos pequeños en la misma agua 15 minutos. Escurra. Licue la lechuga, las avellanas y la papa; añada la crema, la cda. de aceite y licue de nuevo hasta obtener una crema espumosa tibia.

SEMANA 10

MENÚ DE LA MAÑANA

- Café o té sin azúcar
- Granola con mermelada de duraznos*
- 100 g de queso blanco
- 1 naranja

*Receta: 5 cdas. de granola sin azúcar ● 10 cl de leche descremada ● 1 cda. de mermelada de duraznos (sobrantes de la 9.2) ● Azúcar edulcorante en polvo

Sirva la granola en un plato hondo. Bañe con leche tibia. Deje reposar unos minutos. Añada la mermelada y mezcle ligeramente. Endulce al gusto con azúcar edulcorante.

MENÚ DEL MEDIODÍA

- 1 porción de pan integral
- Pescado en salsa roquefort*
- Lechuga con vinagreta ligera
- 1 racimo de uvas (120 g)
- Café o té sin azúcar

*Receta: 1 trozo de rape (pejesapo) ● 100 g de salsa roquefort (receta 13.3) ● 1 caldo corto ● 1 cogollo de apio

En un plato que cierre herméticamente, ponga el trozo de rape y cúbralo con el caldo corto bien caliente. Cierre el plato y deje enfriar en un lugar fresco 30 minutos. Desprenda las partes blancas del apio, cuézalas al vapor. Prepare la salsa en el último momento. Bañe el pescado y el apio cocido.

MENÚ DE LA NOCHE

- 1 tazón de caldo de verduras
- 1 porción de pan integral
- Gazpacho*
- 1 rebanada de jamón crudo
- Lechuga con limón
- 1 porción de queso cantal
- 100 g de frambuesas frescas
- Infusión

*Receta: 1 punta de ajo ● 2 tomates ● 1/2 pepino ● 1/2 pimiento ● perejil fresco picado ● 1 punta de ají ● Unas gotas de vinagre ● 1 cebolla blanca ● Sal, pimienta

DÍA 7

Aplaste el ajo. Añada el pimiento y una pizca de sal, de pimienta y el pimiento. Licue los tomates, la mitad del pimiento, la cebolla y la mitad del pepino. Agregue unas gotas de vinagre a la mezcla y bañe con un vaso de agua. Mezcle bien. Pique toscamente el resto del pimiento y el pepino, póngalos a la sopa. Rectifique la sazón. Espolvoree con perejil fresco picado. Es posible poner 1 o 2 hielos en el tazón donde se sirve el gazpacho para que esté aún más frío.

¡Además!

Consiéntase con 10 a 15 g de malvavisco de una confitería para un reencuentro con su alma de niño.

No olvide...

No poner demasiada sal a los platillos durante la cocción. Es más fácil agregarle si es necesario en la mesa que quitársela.

Balance del día

Alrededor de 1300 kcal
25% de proteínas
20% de lípidos
55% de glúcidos

DELICIA DEL DÍA

Chutney de peras y mangos

Receta: 1 mango verde ● 1 pera ● 10 cl de vinagre ● 2 cdtas. de azúcar en polvo ● 1 punta de jengibre ● 1 punta de sal ● 1 diente de ajo pequeño ● 1 pizca de pimienta

Pele y corte la pera en cuatro y retire el corazón. Pele el mango, corte en rebanadas delgadas. Ponga las dos frutas en una cacerola con el vinagre hasta que hierva. Añada los demás ingredientes y deje hervir a fuego lento 45 minutos. Revuelva frecuentemente. Estará listo cuando el chutney se haya espesado. Endulce una vez cocido. Llene frascos de 50 g hasta arriba con el chutney aún caliente. Cierre los frascos herméticamente y colóquelos boca abajo hasta que se enfríen por completo. Acomode en un lugar fresco (se conservan varios meses).

semana 11

LISTA DE COMPRAS DE LA SEMANA 11

Los sobrantes de la semana anterior

2 porciones de queso roquefort
1 porción de queso cantal
1/2 bote de crema fresca
Ajo
1/2 manojo de berro
Se utilizarán esta semana.

Comestibles

1 lata de cangrejo desmenuzado (100 g de masa drenada)
1 lata de atún al natural (100 g)
7 huevos

Panadería

1 pan integral

Bebidas

¡No olvide el agua!
1 jugo de manzana (200 g) sin azúcar
1 jugo de tomate (200 g) sin azúcar
1 jugo de naranja (200 g) sin azúcar
1 cerveza clara u oscura

Hierbas aromáticas frescas

Perifollo
Estragón

Infusión de hierbas

Tomillo

Verduras

1 berenjena
1 manojo de brócoli
10 zanahorias
2 ramas de apio
15 champiñones
250 g de espinacas frescas
3 bulbos de hinojo
4 nabos
4 cebollas amarillas
3 cebollas blancas
1 manojo de perejil fresco
200 g de chícharos en su vaina
2 pimientos
3 papas
1 manojo de rábanos
1 lechuga compacta
7 tomates

Frutas

7 albaricoques
4 nectarinas
300 g de grosellas
15 cerezas
4 limones
1 limón amargo
200 g de frambuesas
50 g de grosellas silvestres
100 g de grosellas rojas
200 g de moras
1 nectarina
1 toronja
4 duraznos
2 peras
4 ciruelas
100 g de arándanos

Lácteos

200 g de queso brie (para 6 porciones de peso medio)
125 g de mantequilla
500 g de queso blanco
1 litro de leche descremada
7 quesos tipo petit-suisse
2 yogures

Carnicería

Compre las carnes y el pescado a medida que se necesiten, el día anterior a su consumo.

PRIMER DÍA

1 escalopa de ternera (unos 120 g)

SEGUNDO DÍA

1 rebanada de jamón crudo (80 g)

TERCER DÍA

150 g de molleja de ternera
1 medallón de res (unos 120 g)

QUINTO DÍA

2 costillitas de cordero (unos 180 g)

SEXTO DÍA

1 rebanada de jamón blanco (unos 100 g)
1 trozo de 130 g de pollo deshuesado

SÉPTIMO DÍA

1 rebanada de pierna de cordero (unos 120 g)

Pescadería

CUARTO DÍA

1 rebanada de abadejo (unos 130 g)

Varios

■ Prepare por adelantado 3 litros de caldo de verduras para las noches de la semana.
■ Prevea 3 lechugas frescas como acompañamiento de las comidas de la semana.
■ No olvide llenar el frigorífico con "antiantojos".
■ Verifique que no falte nada en la "despensa ideal".

SEMANA 11 | DÍA 1

MENÚ DE LA MAÑANA

- Café o té sin azúcar
- Cereales, queso blanco y compota de duraznos con especias*
- 1/2 toronja

*Receta: 1 pan tostado ● 100 g de queso blanco ● 3 cdas. de granola ● 1 durazno ● 1 nectarina ● 1 clavo de olor ● 2 bayas de enebro ● 3 granos de pimienta ● El jugo de 1/2 limón amargo ● Azúcar edulcorante líquida resistente al calor

Prepare la compota: pele el durazno y la nectarina, deshuéselos y córtelos en cuartos. Vacíelos en una cacerola. Rocíe con el jugo de limón y endulce al gusto con azúcar edulcorante líquida. Caliente a fuego muy lento. En otra cacerola, hierva un vaso de agua con las especias hasta que se reduzca a la mitad. Añada a esta decocción las frutas y cueza de 10 a 15 minutos para espese la compota. Sirva caliente. Mezcle a los 100 g de queso banco y a las cucharadas de granola. Acompañe con el pan tostado.

MENÚ DEL MEDIODÍA

- 1 porción de pan integral
- Ternera al estragón*
- Ensalada hecha con 1/2 manojo de berros con vinagreta ligera
- 1 porción de queso cantal
- Batido de grosellas (receta 2.4)
- Café o té sin azúcar

*Receta: 1 escalopa de ternera ● 1/2 vaso de vino blanco ● Estragón fresco picado ● 1 cdta. de mantequilla ● 4 zanahorias ● Tomillo ● Romero ● Sal, pimienta

Corte las zanahorias en bastones y cuézalas al vapor con una rama de tomillo y de romero. Cocine la escalopa en una sartén con teflón. Vierta el vino en una cacerola. Añada el estragón y la mantequilla. Deje reducir. Salpimiente. Bañe la carne con la salsa y acompañe con las zanahorias.

MENÚ DE LA NOCHE

- 1 tazón de caldo de verduras
- 1 pan tostado
- Arroz arlesiano*
- Lechuga con limón
- 1 porción de queso brie
- 1 durazno
- Infusión

*Receta: 30 g de arroz blanco ● 1 cebolla blanca ● 1/2 pimiento ● 120 a 140 g de chícharos desenvainados (200 g sin pelar) ● 1 cdta. de curry ● 1/2 cubo de consomé ● 4 champiñones

En una sartén con revestimiento antiadherente untada con aceite incluidas paredes y bordes, sofría la cebolla y el pimiento picados. Espolvoree con curry. Bañe con un vaso de caldo. Hierva 3 minutos. Añada el arroz lavado y escurrido y cueza 15 minutos. Agregue 2 volúmenes de agua por uno de arroz. Si es necesario, ponga más agua. Pele y cueza los chícharos en una cacerola de agua con sal durante 20 minutos. Cuando el arroz esté cocido, añada los champiñones rebanados. Salpimiente. Ponga los chícharos. Cueza 5 minutos más.

No olvide...

Verifique que queden 50 g de espinacas para el cangrejo sukiyati de mañana al mediodía.

Balance del día
Alrededor de 1400 kcal
30% de proteínas
15% de lípidos
55% de glúcidos

DELICIA DEL DÍA

Salsa de tomate

Receta: 2 cebollas ● 1 lata de tomates en conserva (100 g) ● 4 cdas. de ketchup ● Sal, pimienta ● Perejil fresco picado

Muela los tomates y ponga tlos ingredientes en un frasco que cierre herméticamente; agite con fuerza. También se puede licuar todo junto.

SEMANA 11

DÍA 2

MENÚ DE LA MAÑANA

- Café o té sin azúcar
- Granola con albaricoques*
- 1 jugo de tomate

*Receta: **5 cdtas. de granola sin azúcar** ● **150 g de queso blanco** ● **4 albaricoques** ● **1 cda. de crema de grosellas** ● **1/4 de vaso de leche**

Lave cuidadosamente los albaricoques. Córtelos en trozos pequeños. Añada el queso blanco y mezcle con la granola. Bañe con la crema de grosellas en el último minuto. Endulce ligeramente con azúcar edulcorante.

MENÚ DEL MEDIODÍA

- 1 porción de pan integral
- Cangrejo sukiyati*
- Lechuga con vinagreta ligera
- 1 porción de queso roquefort
- *Mousse* de frutas rojas (receta 11.2)
- Café o té sin azúcar

*Receta: **1 lata de cangrejo desmenuzado** ● **4 champiñones** ● **50 g de espinacas frescas** ● **1 rama de apio** ● **1 cda. de salsa de soya** ● **Unas gotas de salsa Worcestershire** ● **1 vaso de caldo de verduras**

Ponga los ingredientes en una cazuela excepto el cangrejo y cueza tapado a fuego lento durante 10 minutos, destape. Añada el cangrejo desmenuzado y escurrido. Mezcle un poco y cueza unos minutos más para reducir el líquido.

MENÚ DE LA NOCHE

- 1 tazón de caldo de verduras
- 1 porción de pan integral
- *Capacrata**
- 1 rebanada de jamón crudo
- Lechuga con limón
- 4 ciruelas
- Infusión

*Receta: **1 pimiento** ● **2 ramas de apio** ● **1 bulbo de hinojo** ● **1 berenjena pequeña** ● **1 punta de ajo** ● **Tomillo** ● **1 hoja de laurel** ● **Sal, pimienta**

Corte el pimiento, el apio, el hinojo y la berenjena en rodajas finas. En una cazuela o un recipiente de barro, coloque una capa de legumbres mezcladas. Salpimiente. Espolvoree con tomillo, laurel y un poco de ajo picado. Ponga una nueva cama de verduras aromatizadas hasta terminar los ingredientes. Cubra herméticamente el recipiente y hornee (200 a 220° C) 1 hora. Verifique la cocción a los 45 minutos, sirva en el mismo recipiente.

¡Además!
Ponga una linda mesa para alegrar una comida, que dé ganas de quedarse sentado y comer lentamente.

No olvide...
Prepare el flan de huevo de mañana por la mañana.

Balance del día
Alrededor de 1200 kcal
25% de proteínas
20% de lípidos
55% de glúcidos

DELICIA DEL DÍA

Mousse de frutas rojas

Receta: **50 g de grosellas silvestres** ● **100 g de frambuesas** ● **100 g de grosellas** ● **2 claras de huevo** ● **1 pizca de vainilla en polvo** ● **1/2 manzana** ● **Azúcar edulcorante en polvo**

Macere las frutas con un tenedor o bátalas después de haberlas pelado. Cuélelas para eliminar los desechos. Cueza la manzana hasta que se reduzca a compota con 1 cda. de agua y el jugo de las frutas rojas. Añada la vainilla durante la cocción. Reduzca el líquido a fuego medio revolviendo constantemente para obtener una compota. Bata las claras de huevo a punto de turrón. Mezcle la compota con las claras. Endulce al gusto con azúcar edulcorante. Consuma 30 minutos después de su preparación.

SEMANA 11

MENÚ DE LA MAÑANA

- Café o té sin azúcar
- Flan de huevo*
- 1 jugo de naranja
- 1/2 manzana

*Receta: 1 huevo ● 10 cdas. de leche descremada ● 1 pizca de vainilla ● 1/2 cdta. de azúcar edulcorante líquida resistente al calor

Hierva la leche en una cacerola con la vainilla. Aparte la cacerola del fuego. Deje que se entibie. Bata vigorosamente el huevo en una ensaladera con el azúcar edulcorante. Vierta la leche. Siga batiendo para que el huevo no se coagule. Vacíe la preparación en un molde para *soufflé*. Caliente el horno (160 a 200° C). Cueza la preparación a baño María de 15 a 20 minutos. Verifique la cocción del flan picando la superficie. No debe salir leche. Deje enfriar.

MENÚ DEL MEDIODÍA

- 1 porción de pan integral
- Molleja de ternera en vino blanco*
- 1/2 manojo de rábanos
- 100 g de queso blanco
- 2 nectarinas
- Café o té sin azúcar

*Receta: 150 g de molleja de ternera ● 1/2 vaso de vino blanco ● 2 tomates ● Perejil fresco picado ● 1 cdta. de vinagre ● Sal, pimienta

Lave la molleja de ternera con agua fría y escurra. Póngala en una cacerola y cúbrala de agua hirviendo con 1 cda. de vinagre. Tape y cueza a fuego lento 15 minutos. Cuele y ponga en agua fría. Quítele la piel y la grasa. En una cacerola, caliente el vino blanco, añada los tomates cortados en rodajas finas y el perejil picado. Salpimiente. Lleve a ebullición ligera y añada la molleja de ternera cortada en trozos. Rehogue 15 minutos.

MENÚ DE LA NOCHE

- 1 tazón de caldo de verduras
- 1 porción de pan integral
- Brócoli con avellanas*
- 1 medallón de res asado

DÍA 3

- Lechuga con limón
- 1 porción de queso brie
- Infusión

*Receta: 1 manojo de brócoli ● 5 avellanas ● 1/2 limón ● 1 cdta. de aceite de oliva y de vinagre ● Nuez moscada rallada ● Pimienta

Blanquee el brócoli en una cacerola de agua hirviendo con vinagre. Escurra. Conserve solamente la parte tierna de los ramitos. Cueza al vapor 10 minutos. Ponga el brócoli en un plato y espolvoree con avellanas trituradas. Rocíe con jugo de limón. Añada un poco de pimienta.

¡Además!
Aromatice el flan de huevo con 1 cda. de crema de grosellas.

No olvide...
Para mañana: prepare el abadejo marinado y verifique que haya una lechuga bien compacta.

Balance del día
Alrededor de 1200 kcal
30% de proteínas
15% de lípidos
55% de glúcidos

DELICIA DEL DÍA

Salsa de arándanos a la pimienta

1 echalote ● 1/4 de vaso de vino blanco ● 1 cda. de aceite ● 25 g de queso blanco ● 3 granos de pimienta ● Tomillo ● Laurel ● Sal ● De 2 a 3 cdas. de arándanos ● Unas gotas de azúcar edulcorante líquida resistente al calor

Para la salsa de pimienta, sofría el echalote picado en el vino blanco y el aceite. Añada 2 cdas. de agua. Sale ligeramente. Añada unas gotas de azúcar edulcorante. Agregue los granos de pimienta. Revuelva un poco durante 5 minutos. Ponga el queso blanco en un recipiente y vierta la salsa caliente encima. Bata vigorosamente para obtener una salsa homogénea. Cuando la salsa de pimienta esté lista, añada los arándanos. Cueza a fuego muy lento 3 minutos.

SEMANA 11   DÍA 4

MENÚ DE LA MAÑANA

- Café o té sin azúcar
- Batido de moras*
- 1/2 toronja
- 1 porción de pan integral (2 rebanadas finas)
- 1 cdta. de mantequilla

*Receta: 100 g de moras ● 10 cl de leche descremada ● Azúcar edulcorante en polvo

Lave las moras pasándolas por agua hirviendo. Licue las frutas y la leche hasta que ésta espume, endulce al gusto con azúcar edulcorante en polvo justo antes de tomarla.

MENÚ DEL MEDIODÍA

- Abadejo marinado*
- Lechuga con vinagreta ligera
- Torrejas con frutas (receta 13.6)
- Café o té sin azúcar

*Receta: 1 rebanada de abadejo ● 4 cdas. de vinagre ● 1/2 cdta. de curry ● 1 punta de sal de apio ● 1 cebolla blanca ● 3 papas ● 1 cda. de vinagreta ligera ● Sal, pimienta ● 1 cda. de uvas pasas claras

Cueza el pescado en agua con un poco de sal. Escurra. Reserve. En una cacerola, mezcle la sal de apio, el vinagre, la cebolla picada, el curry y la pimienta y cuando llegue al punto de ebullición baje el fuego y deje que hierva 3 minutos revolviendo constantemente. Bañe el pescado con esta mezcla. Ponga todo en el frigorífico y enfríe una noche. Acompañe con una ensalada de papas cocidas al vapor, aliñada con una vinagreta ligera y uvas pasas remojadas 10 minutos en té hirviendo para que estén tiernas.

MENÚ DE LA NOCHE

- 1 tazón de caldo de verduras
- 1 porción de pan integral
- Lechuga rellena con queso*
- 3 albaricoques
- Infusión

124

*Receta: 1 lechuga pequeña bien compacta ● 50 g de queso blanco ● 2 cdas. de queso roquefort ● 1 zanahoria ● 1 tomate ● 1 cebolla blanca ● Sal, pimienta

Lave cuidadosamente la lechuga. Retire las hojas más verdes para que la lechuga quede bien compacta. En un tazón aplaste juntos el queso blanco, el roquefort, la zanahoria rallada, el tomate cortado en dados pequeños y la cebolla picada. Salpimiente. Rellene la lechuga con la mezcla separando las hojas y poniendo un poco de relleno dentro de cada una comenzando por el centro. Apriete bien en un paño o en un papel de aluminio (en este caso, no cierre la hoja por completo) y ponga en el refrigerador 15 minutos. Presente en una fuente.

> No olvide...

Prepare la bavaresa de frambuesas de mañana al mediodía.

> Balance del día
> Alrededor de 1300 kcal
> 25% de proteínas
> 20% de lípidos
> 55% de glúcidos

DELICIA DEL DÍA

> Ensalada de frutas flameada con ron

Receta: **1/2 plátano ● 2 rebanadas de piña ● 1 naranja ● 1 cdta. de coco rallado ● 2 cdas. de ron ● 1 cdta. de mantequilla ● Azúcar edulcorante en polvo**

Pele y corte las frutas en pequeños trozos. Vacíelas en una sartén untada con mantequilla. Sofría 10 minutos revolviendo constantemente. Retire del fuego y vierta en un plato hondo. Endulce al gusto. Espolvoree las frutas con el coco rallado. Añada una cda. de ron. Caliente otra cda. de ron en la flama y viértala sobre las frutas tan pronto comience a flamear y sirva cuando se haya apagado.

SEMANA 11   DÍA 5

MENÚ DE LA MAÑANA

- Café o té sin azúcar
- Quesos tipo petit-suisse con cereales y duraznos*
- 1/2 manzana

*Receta: 2 quesos tipo petit-suisse ● 2 duraznos ● 5 cdas. de hojuelas de avena ● 1/2 limón ● Azúcar edulcorante en polvo

Corte los duraznos en pequeños trozos después de haberlos pelado. Rocíelos con el jugo de limón para que no se oscurezcan. Endulce con azúcar edulcorante. Mezcle con las hojuelas de avena. Revuelva todo con los quesos.

MENÚ DEL MEDIODÍA

- 1 porción de pan integral
- Cordero en salsa *soubise**
- 1 yogur
- Lechuga con vinagreta ligera
- Bavaresa de frambuesa (receta 11.5)
- Café o té sin azúcar

*Receta: 2 costillitas de cordero ● 2 cebollas ● Sal, pimienta ● 1 punta de ajo ● Unas gotas de azúcar edulcorante líquida resistente al calor ● 1 vaso de caldo de verduras ● 3 tomates ● Perejil fresco picado

Rebane las cebollas. Rehóguelas 20 minutos en el caldo. Salpimiente. Añada de 3 a 4 gotas de azúcar edulcorante. Cuele cuando esté cocido. Guarde el jugo para escalfar las rodajas de tomate de 2 a 3 minutos. En una sartén con revestimiento antiadherente, ase las costillitas de cordero rápidamente. Disponga en una fuente; el puré de cebollas debe ir sobre la carne; los tomates se colocan alrededor. Espolvoree con perejil fresco picado.

MENÚ DE LA NOCHE

- 1 tazón de caldo de verduras
- 1 porción de pan integral
- *Omelette* florentina*
- Lechuga con limón

- 1/2 pera
- Infusión

*Receta: 2 huevos ● 200 g de espinacas frescas ● 1 cda. de crema fresca ● Sal, pimienta ● 1 cdta. de mantequilla

Blanquee 5 minutos las espinacas en una cacerola de agua hirviendo con sal. Escurra. Pique. En una sartén con revestimiento antiadherente, vacíe las espinacas y la crema. Salpimiente. Sofría. Reduzca el agua de las espinacas al mínimo. Bata los huevos en un tazón, condiméntelos y añada las espinacas. Voltee todo en una sartén untada con mantequilla y cueza a fuego lento la *omelette* hasta que los huevos cuajen.

¡Además!
Consiéntase con 2 pastitas de una pastelería tradicional para acompañar el té.

No olvide...
Cuando tenga una invitación: no sucumba ante el alcohol, contiene mucha azúcar y estimula el apetito.

Balance del día
Alrededor de 1400 kcal
25% de proteínas
20% de lípidos
55% de glúcidos

DELICIA DEL DÍA

Bavaresa de frambuesa

Receta: 100 g de frambuesas frescas ● 4 cdas. de leche descremada en polvo ● 3 hojas de gelatina ● Azúcar edulcorante en polvo

Reduzca las frambuesas a puré, añada la leche diluida en 1 vaso de agua y endulce al gusto. Licue para obtener una mezcla bien tersa. Remoje las hojas de gelatina en agua fría 5 minutos para ablandarlas y luego derrítalas en una cacerola al fuego unos minutos con 3 o 4 cdas. de agua, revuelva constantemente. Añada la gelatina a la mezcla. Vierta en un molde, ponga en el frigorífico de 5 a 6 horas. Guarde algunas frambuesas para decorar la bavaresa.

SEMANA 11   DÍA 6

MENÚ DE LA MAÑANA

- Café o té sin azúcar
- I huevo duro
- **Compota de frutas rojas***
- I porción de pan integral (2 rebanadas finas)
- I cdta. de mantequilla

***Receta: 100 g de moras ● 100 g de arándanos ● 100 g de grosellas rojas ● 100 g de grosellas (casis) ● I cdta. de vinagre ● I cdta. de azúcar edulcorante líquida resistente al calor**

Haga la compota: enjuague moras, arándanos, grosellas rojas y grosellas (casis) en agua con vinagre. Enjuague nuevamente con agua clara y seque bien. Vacíe todas las frutas en una cacerola con el azúcar edulcorante líquida y cueza a fuego muy lento 15 minutos revolviendo constantemente. Sirva en seguida.

MENÚ DEL MEDIODÍA

- I porción de pan integral
- **Caldereta de pollo***
- Lechuga con vinagreta ligera
- 2 nectarinas
- Café o té sin azúcar

***Receta: I trozo de pollo deshuesado ● I cebolla ● 7 champiñones ● I vaso de caldo corto ● Perejil fresco picado ● Sal, pimienta ● 2 bulbos de hinojo**

En una sartén con revestimiento antiadherente, fría la cebolla picada, añada los champiñones rebanados y deje cocinar durante 10 minutos. Añada el pollo en trozos. Ase. Salpimiente y bañe con un vaso de caldo corto. Cocine tapado durante 15 minutos hasta que el pollo esté listo. Espolvoree con perejil fresco picado. Cueza al vapor los bulbos de hinojo cortados en cuatro a lo largo. Añádalos a la sartén una vez que todo esté cocido para que se perfumen con el jugo de la cocción.

MENÚ DE LA NOCHE

- I tazón de caldo de verduras
- I porción de pan integral
- **Zanahorias con jamón***
- Lechuga con limón
- I porción de queso brie
- Infusión

***Receta: 3 zanahorias ● I rebanada de jamón cocido ● I vaso de caldo de verduras ● 1/2 cdta. de sal de apio ● Pimienta**

Pele y corte las zanahorias en bastones. Corte el jamón en trozos pequeños muy pequeños. Vacíe las zanahorias y el jamón en una cacerola. Añada el caldo y rehogue a fuego lento 30 minutos. Salpimiente al final de la cocción. Vigile para que las verduras no se peguen. Si es necesario, añada caldo.

¡Además!
Consiéntase con un chocolate.

No olvide...
¿Un antojo irresistible?: mastique tallos de apio, trozos de zanahorias, ramitos de coliflor, champiñones, hojas de endivias…

Balance del día
Alrededor de 1200 kcal
25% de proteínas
20% de lípidos
55% de glúcidos

DELICIA DEL DÍA

Coctel energético
Receta: **I tomate grande** ● **I limón** ● **2 hojas de menta**

Pele los ingredientes y licúelos. Añada 1/2 vaso de agua al licuar.

SEMANA 11

MENÚ DE LA MAÑANA

- Café o té sin azúcar
- Granola, yogur, cerezas cocidas*
- 1 jugo de manzana

*Receta: 6 cdas. de granola sin azúcar ● 1 yogur ● 15 cerezas ● 1 punta de anís molido ● 1 punta de canela en polvo ● 1 clavo de olor ● 1 punta de vainilla en polvo ●Azúcar edulcorante líquida resistente al calor

Deshuese las cerezas y póngalas a escalfar 10 minutos en una cacerola de agua hirviendo endulzada con azúcar edulcorante donde se habrá hecho una infusión de clavo de olor, canela, vainilla y anís. Escurra. Mezcle la granola y el yogur, añada las frutas escalfadas. Endulce al gusto con azúcar edulcorante.

MENÚ DEL MEDIODÍA

- 1 porción de pan integral
- Pierna de cordero a la inglesa*
- 1/2 manojo de rábanos
- 1 pera flameada (receta 11.7)
- Café o té sin azúcar

*Receta: 1 trozo de pierna de cordero ● 2 zanahorias ● 1 cebolla ● 4 nabos ● 1 ramillete de hierbas de olor ● Sal, pimienta ● 2 cdas. de chutney (sobrantes)

En una cacerola, lleve al punto de ebullición medio litro de agua. Añada la sal, la pimienta y el ramillete de hierbas de olor. Ponga la carne y las verduras cortadas en rodajas y en láminas. Cueza 30 minutos. Sirva la carne y las verduras escurridas aderezadas con chutney.

MENÚ DE LA NOCHE

- 1 tazón de caldo de verduras
- Arroz pilaf con atún*
- Lechuga con limón
- 100 g de queso blanco
- Infusión

*Receta: 30 g de arroz blanco ● 1/4 de cebolla ● 1/2 pimiento ● 1 tomate ● 1/2 lata de atún al natural ● 1 punta de ajo ● 1 pizca de tomillo

DÍA 7

● 10 aceitunas negras deshuesadas ● 1 pizca de sal y de pimienta ● 1 cdta. de aceite

Corte el pimiento en trozos pequeños y páselo por la sartén. Añada los tomates, el ajo y el tomillo. Rehogue 10 minutos. En una cacerola, sofría 3 minutos en el aceite la cebolla rebanada. Mantenga al calor. Añada el arroz. Fría revolviendo constantemente. Agregue 2 volúmenes de agua por uno de arroz. Tape y cueza 20 minutos. Verifique la cocción y vierte pequeñas cantidades de agua si es necesario para que se cueza.

Presente el arroz alrededor de la fuente, coloque el *coulis* de pimiento en el centro, el atún recalentado y desmenuzado por encima y decore con aceitunas.

¡Además!
Consiéntase con una cerveza clara u oscura para acompañar el cordero del mediodía.

No olvide...
El ayuno no es una solución para perder peso, puede ser incluso peligroso.

Balance del día
Alrededor de 1400 kcal
25% de proteínas
20% de lípidos
55% de glúcidos

DELICIA DEL DÍA

Pera flameada

1 pera ● 1 cdta. de azúcar edulcorante líquida resistente al calor ● 1/2 cdta. de vainilla en polvo ● 1 cda. de ron

Pele la pera. Córtela en cuatro y quítele el corazón. Póngala en un refractario. Bañe con un almíbar hecho con un vaso de agua hirviendo y el azúcar edulcorante. Hornee (200 a 240° C) 15 minutos volteando los trozos de pera regularmente.

Al momento de servir, escurra apenas los trozos de pera, caliente el ron en una cuchara y luego rocíe las peras calientes. Flamee.

semana 12

LISTA DE COMPRAS DE LA SEMANA 12

Los sobrantes de la semana anterior

1 lata de atún al natural
½ limón amargo
2 porciones de queso brie
4 quesos tipo petit-suisse
Se utilizarán esta semana.

Comestibles

1 lata de germen de soya (100 g)
2 latas de 100 g de macedonia de verduras
1 lata de mejillones al natural (100 g)
1 botecito de limas confitadas a la sal
1 lata de 50 g de frijoles rojos cocidos
11 huevos

Panadería

1 pan blanco de miga densa

Bebidas

¡No olvide el agua!
1 jugo de manzana (200 g) sin azúcar
1 jugo de naranja (200 g) sin azúcar
2 jugos de uva (200 g x 2) sin azúcar
2 jugos de tomate (200 g x 2) sin azúcar

Hierbas aromáticas frescas

Perifollo
Albahaca
Cebollín

Infusión de hierbas

Pasiflora

Verduras

1 cabeza de ajo
1 berenjena pequeña
1 calabacita pequeña
1 aguacate
6 zanahorias
1 apio
6 champiñones grandes
1 pepino
200 g de espinacas frescas

3 bulbos de hinojo
2 cebollas amarillas
1 cebolla blanca
1 manojo de perejil fresco
1 pimiento
5 tomates
200 g de mízcalos
1 col morada

Frutas

7 albaricoques
1 racimo de uvas blancas (130 g)
250 g de grosellas
150 g de cerezas
5 limones
1 limón amargo
6 higos frescos
150 g de frambuesas
100 g de grosellas rojas
3 kiwis
1 mango
1 melón
50 g de moras
2 nectarinas
1 naranja
2 duraznos blancos
1 pera
1 manzana

Lácteos

125 g de mantequilla
8 quesos crema de gruyer
500 g de queso blanco
2 litros de leche descremada
40 g de queso parmesano
4 yogures
1 queso de cabra fresco (80 g) (2 porciones de peso medio)

Carnicería

Compre las carnes y el pescado a medida que se necesiten, el día anterior a su consumo.

PRIMER DÍA

120 g de morcillnegra

SEGUNDO DÍA

1 costilla de ternera (unos 140 g)
1 rebanada de jamón blanco (unos 100 g)

CUARTO DÍA

1 muslo de pollo (unos 160 g)

QUINTO DÍA

1 tapa de ternera (unos 120 g)
1 rebanada de jamón crudo (80 g)

SEXTO DÍA

1 escalopa de pollo (unos 120 g)

SÉPTIMO DÍA

1 trozo de res para brasear de 130 g

Pescadería

PRIMER DÍA

1 caballa limpia

TERCER DÍA

1 rodaja de atún rojo (unos 140 g)

Varios

■ Prepare por adelantado 1.5 litros de caldo de verduras para las noches de la semana.

■ Prevea 3 lechugas verdes frescas como acompañamiento de las comidas de la semana.

■ No olvide llenar el frigorífico con "antiantojos".

■ Verifique que no falte nada en la "despensa ideal".

SEMANA 12

MENÚ DE LA MAÑANA

- Café o té sin azúcar
- Batido de albaricoques*
- 1 porción de pan blanco (2 rebanadas finas)
- 1 cdta. de mantequilla
- 1 jugo de tomate

*Receta: 4 albaricoques ● 10 cl de leche descremada ● 1/2 cdta. de vainilla en polvo ● Azúcar edulcorante en polvo

Pele las frutas pasándolas por agua hirviendo. Deshuese. Corte las frutas en trozos pequeños. Licue las frutas, la leche y la vainilla hasta que la leche espume. Endulce con azúcar edulcorante justo antes de tomar.

MENÚ DEL MEDIODÍA

- 1 porción de pan blanco
- Caballa marinada*
- Lechuga con vinagreta ligera, aromatizada con ½ lata de atún al natural
- 1 porción de queso brie
- 3 albaricoques
- Café o té sin azúcar

*Receta: 1 caballa ● 1 vaso de vino blanco ● 1 clavo de olor ● 1 hoja de laurel ● ½ cdta. de nuez moscada rallada ● Perejil fresco picado ● 1 cebolla blanca ● Cebollín fresco picado ● 1 punta de ajo 2 bulbos de hinojo ● Sal, pimienta

Vacíe el pescado. Mezcle todos los aromatizantes en el vino blanco y marine la caballa al menos 2 horas en un lugar fresco. Coloque la caballa en un refractario y póngala en la parrilla de horno 10 minutos. Voltéela a media cocción. Espolvoree con perejil. Cueza al vapor el hinojo cortado en cuatro. Bráseelo en una sartén con revestimiento antiadherente bañándolo con 3 cdas. de la marinada colada.

MENÚ DE LA NOCHE

- 1 tazón de caldo de verduras
- 1 porción de pan blanco
- Apio a la pimienta*
- Lechuga con limón

DÍA 1

- 1 queso tipo petit-suisse
- Infusión

*Receta: 5 ramas de apio ● 1 vaso chico de jugo de tomate ● Sal ● Pimienta en grano ● 1 trozo de morcilla negra

Lave y corte en trozos las 5 ramas de apio. Caliente el jugo de tomate en una cacerola. Añada los trozos de apio con la sal y los granos de pimienta. Bañe con un vaso de agua. Tape y cueza a fuego muy lento durante 15 minutos. Las verduras deben estar tiernas. Añada agua en pequeñas cantidades si es necesario para terminar la cocción. Ase la morcilla negra en una sartén con revestimiento antiadherente con un vaso del jugo de la cocción de las verduras durante 15 minutos.

¡Además!
Toda comida se puede completar con una lechuga condimentada con jugo de limón o con un tazón grande de caldo de verduras. Son excelentes moderadores del apetito.

No olvide...
Ponga a marinar la caballa en la mañana para la comida del mediodía.

Balance del día
Alrededor de 1400 kcal
30% de proteínas
15% de lípidos
55% de glúcidos

DELICIA DEL DÍA

Frutas rojas en *mousse* de higos

Receta: 100 g de fresas frescas ● 50 g de frambuesas frescas ● 50 g de moras ● 2 higos ● 4 cds. de crema fresca ● 1 cdta. de azúcar edulcorante en polvo ● 1 pizca de vainilla en polvo

Tome la pulpa de 2 higos y redúzcala a puré (se puede licuar). Bata la crema hasta obtener un chantilly y mézclela con el puré de higos. Vacíe en una copa y ponga encima las frutas rojas lavadas y secas. Endulce al gusto con azúcar edulcorante.

SEMANA 12

MENÚ DE LA MAÑANA

- Café o té sin azúcar
- 1 huevo pasado por agua
- 100 g de queso blanco*
- 1 jugo de uva
- 1 porción de pan blanco (2 rebanadas finas)
- 1 cdta. de mantequilla

*Receta: Ésta no es una receta, ¡deguste el huevo pasado por agua con el queso blanco!

MENÚ DEL MEDIODÍA

- 1 porción de pan blanco
- Ternera con mízcalos y tomates*
- Lechuga con vinagreta ligera
- 1 yogur
- Pulpa de piña con frambuesa (receta 1.5)
- Café o té sin azúcar

*Receta: 1 costilla de ternera ● 200 g de mízcalos ● 1 tomate ● 1 queso crema de gruyer ● 1 cdta. de mantequilla ● Perejil fresco picado ● Pimienta, sal

Sofría 200 g de mízcalos en la sartén después de haberlos lavado cuidadosamente. Caliente hasta que se evapore el agua. Reserve en un plato. Fría la costilla de ternera 5 minutos con la cdta. de mantequilla. Ponga los champiñones en la sartén y rehogue 3 minutos; añada el tomate cortado en cuatro o en rebanadas. Cueza 3 minutos. Agregue el queso en trozos pequeños 1 minuto antes de terminar la cocción. Condimente.

MENÚ DE LA NOCHE

- 1 porción de pan blanco
- Sopa rápida de verduras*
- 1 rebanada de jamón
- Lechuga con limón
- 100 g de queso blanco
- Infusión

*Receta: 1 lata de macedonia de verduras ● 1 rama de apio ● 1 yogur ● Sal, pimienta ● 1

DÍA 2

cebolla ● Perifollo fresco picado ● 1 cdta. de aceite

Enjuague y escurra el contenido de la lata de macedonia de verduras. Pique finamente la cebolla y fríala en una cacerola con 1 cdta. de aceite. Añada el apio picado. Cueza 10 minutos revolviendo constantemente. Agregue el resto de las verduras y ½ litro de agua. Cueza 15 minutos a fuego lento. Salpimiente. Licue todos los ingredientes. Espolvoree con perifollo. Aliñe con el yogur.

¡Además!
- Sustituya la porción de pan de la noche por crutones para la sopa de verduras.
- Una infusión: la pasiflora.
El lindo color de sus flores malva, casi púrpura y su sabor suave la han convertido en la infusión de los momentos tiernos. Es reconocida, con justo derecho, por sus virtudes calmantes y sedantes. Propicia el sueño y tiene efectos benéficos para los dolores de cabeza provocados por el estrés. Junto con la valeriana, es una infusión que tiene fama de regalar noches apacibles.

No olvide...
Prepare el *kissel* de mañana al mediodía.

Balance del día
Alrededor de 1400 kcal
25% de proteínas
20% de lípidos
55% de glúcidos

DELICIA DEL DÍA

Crutones ligeros para acompañar la sopa

Receta: 1 diente de ajo ● 6 cubos de pan blanco o integral duro (o un poco seco) ● 1 cdta. de aceite de oliva

Corte cubitos de pan seco. Unte con ajo. Fríalos en una sartén untada con aceite. Voltéelos varias veces 5 minutos. Utilice inmediatamente.

SEMANA 12

MENÚ DE LA MAÑANA

- Café o té sin azúcar
- Sémola con uvas pasas claras*
- ½ melón

***Receta: I cda. de uvas pasas blancas ● 30 g de sémola de trigo fina ● I vaso grande de leche descremada ● Azúcar edulcorante líquida resistente al calor**

Hidrate la sémola en la leche hirviendo revolviendo constantemente. La sémola estará lista cuando haya absorbido todo el líquido. Añada las uvas pasas que se habrán remojado en una infusión de té caliente durante 10 minutos. Endulce al gusto con azúcar edulcorante.

MENÚ DEL MEDIODÍA

- I porción de pan blanco
- Atún asado con frijoles rojos*
- Lechuga con vinagreta ligera
- I queso crema de gruyer
- 2 kiwis
- Café o té sin azúcar

***Receta: I rodaja de atún rojo ● cebollín fresco picado ● Jugo de ½ limón ● I lata de 50 g de frijoles rojos ● Sal, pimienta**

Ponga la rodaja de atún rojo en un plato refractario y gratine durante 10 minutos, voltéela una vez. Rocíe el atún con limón y salpique con cebollín fresco picado. Lave con agua fresca los frijoles, escúrralos y rodee el atún con ellos. Cueza 10 minutos de cada lado.

MENÚ DE LA NOCHE

- I tazón de caldo de verduras
- Champiñones a la parmesana*
- Lechuga con limón
- 100 g de queso blanco
- 2 nectarinas
- Infusión

***Receta: 6 champiñones grandes ● ½ cebolla ● ¼ de vaso de leche descremada ● I pan tostado ● I cdta. de queso parmesano rallado ● I pizca de pimentón (paprika) ● Sal, pimienta**

DÍA 3

Separe las cabezas de los champiñones (tenga cuidado de no echarlas a perder). Pique las colas. Salpimiente. Pique la cebolla. Añada el pimentón, la cebolla, el pan tostado remojado en la leche y el queso parmesano. Mezcle bien todo. Rellene las cabezas de los champiñones. Ponga en un plato refractario. Hornee 20 minutos (220 a 240 ° C). Rocíe con I o 2 cdas. de leche si la preparación se seca un poco.

No olvide...
Un refresco como la Coca-Cola o la limonada contiene 20 terrones de azúcar (100 g) por litro, equivalentes a 400 calorías por litro.

Balance del día
Alrededor de 1300 kcal
25% de proteínas
20% de lípidos
55% de glúcidos

DELICIA DEL DÍA

Kissel de fresa

100 g de fresas frescas ● 2 hojas de gelatina ● Azúcar edulcorante en polvo ● 10 hojas de menta

Lave las fresas y córtelas en trozos pequeños. En una cacerola, vacíe ½ vaso de agua y las hojas de menta. Endulce al gusto con azúcar edulcorante líquida. Añada 10 g de fresas frescas. Cueza durante 10 minutos hasta que las fresas suelten su jugo. Machaque las fresas en un colador forrado con una gasa fina para recoger el máximo de jugo. Remoje las hojas de gelatina en agua fría para ablandarlas. Ponga el jugo en la cacerola, caliente 3 minutos y derrita en él la gelatina. Vacíe en un molde de cristal y deje enfriar en el frigorífico durante 5 horas. Para desmoldar, remoje el molde en agua caliente unos segundos.

SEMANA 12   DÍA 4

MENÚ DE LA MAÑANA

- Café o té sin azúcar
- *Crumble* de frutas rojas*
- I jugo de uva

*Receta: I queso tipo petit-suisse ● I clara de huevo ● 3 cdas. de hojuelas de avena ● 5 cdas. de *corn flakes* ● 3 cdas. de granola sin azúcar ● Azúcar edulcorante líquida resistente al calor ● I pan tostado ● 50 g de frambuesas ● 50 g de moras ● 50 g de grosellas rojas ● 50 g de grosellas (casis) ● I punta de canela molida

Vacíe las frutas lavadas y cortadas en trozos pequeños en un refractario (corte las frutas encima del plato para no perder el jugo). Bata el queso tipo petit-suisse y la clara de huevo. Añada los diferentes cereales. Agregue unas gotas de azúcar edulcorante al gusto. Vacíe sobre las frutas cubriéndolas al máximo. Espolvoree con canela y pan molido (deshaga el pan tostado). Gratine 10 minutos. Vigile mientras se hornea.

MENÚ DEL MEDIODÍA

- I porción de pan blanco
- Pollo español*
- Lechuga con vinagreta ligera
- Sopa de cerezas (receta 12.4)
- Café o té sin azúcar

*Receta: I muslo de pollo ● 3 tomates ● I cdta. de alcaparras ● I punta de puré de pimiento ● ¼ de limón confitado a la sal ● 6 aceitunas verdes deshuesadas ● Pimienta ● 4 zanahorias

Corte las aceitunas en trozos pequeños. Pique el limón confitado. Vacíe todo en una cazuela y cubra con agua. Añada el pollo y los demás ingredientes, agregue pimienta. No sale, el limón ya está salado. Cierre herméticamente la cazuela y cueza a fuego lento 30 minutos. Vigile que no se pegue a media cocción. Si es necesario, añada un poco de agua. Cueza al vapor las zanahorias cortadas en bastones.

MENÚ DE LA NOCHE

- I tazón de caldo de verduras
- I porción de pan blanco
- Ensalada de arroz Aigues-Mortes*

- I porción de queso brie
- Infusión

*Receta: 30 g de arroz blanco ● ½ cebolla ● ½ pimiento ● ½ bulbo de hinojo ● I berenjena pequeña ● I calabacita pequeña ● I tomate ● Tomillo ● Laurel ● ¼ de cubo de consomé ● 2 huevos ● Unas gotas de vinagre ● Perejil fresco picado

En una cazuela, fría lentamente la cebolla rebanada, luego el pimiento cortado en láminas y el hinojo rebanado. Añada la berenjena y la calabacita en rodajas. Cueza 10 minutos revolviendo con regularidad. Agregue el tomate en rodajas y deje cocine 5 minutos. Salpimiente. Ponga el arroz poco a poco. Saltee todo 2 minutos y agregue 3 vasos de caldo (vasos de agua hirviendo con ¼ de cubo de consomé), tape y cueza a fuego lento. Vigile la cocción del arroz y añada caldo si es necesario. Cuando el arroz esté cocido, apague. Cueza los huevos con la yema tierna y póngalos pelados, por separado, en el plato.

¡Además!
Consiéntase con un macarrón relleno (de 3 a 4 cm de diámetro) la hora del café.

> Balance del día
> Alrededor de 1400 kcal
> 25% de proteínas
> 20% de lípidos
> 55% de glúcidos

DELICIA DEL DÍA

Sopa de cerezas

Receta: I50 g de cerezas ● ½ limón ● I yogur ● I clavo de olor ● I pizca de canela ● I pizca de nuez moscada ● Unas gotas de azúcar edulcorante líquida resistente al calor

Lave y deshuese las cerezas. Vacíelas en una cacerola con el jugo de ½ limón, las especias y el azúcar edulcorante. Añada ½ vaso de agua hirviendo y cueza 15 minutos. Deje enfriar; luego mezcle en un plato hondo con el yogur. Ponga 15 minutos en el frigorífico.

SEMANA 12

MENÚ DE LA MAÑANA

- ■ Café o té sin azúcar
- ■ Sémola con higos*
- ■ 1 jugo de naranja

*Receta: **30 g de sémola de trigo** ● **1 vaso grande de leche descremada** ● **Azúcar edulcorante líquida resistente al calor** ● **4 higos** ● **1 pizca de vainilla en polvo**

Corte las frutas lavadas en dados pequeños. Escálfelas en agua hirviendo 5 minutos endulzada con azúcar edulcorante. Que la sémola se hinche con la leche hirviendo; revuelva constantemente. La sémola estará lista cuando haya absorbido todo el líquido. Endulce con azúcar edulcorante. Añada los dados de frutas cuando la sémola esté lista. Sirva tibia espolvoreada con vainilla en polvo.

MENÚ DEL MEDIODÍA

- ■ 1 porción de pan blanco
- ■ Pepino y pera con queso blanco*
- ■ 1 rebanada de jamón crudo
- ■ 1 queso crema de gruyer
- ■ ½ mango
- ■ Café o té sin azúcar

*Receta: **½ pepino** ● **½ pera** ● **100 g de queso blanco** ● **Sal, pimienta** ● **1 cda. de albahaca fresca picada** ● **1 cda. de perejil fresco picado** ● **1 cda. de eneldo fresco picado** ● **1 cdta. de pimentón (paprika)**

Pele y corte el pepino en rodajas. Parta la pera en cubitos. En un tazón, vacíe el queso blanco y bátalo con la albahaca, el perejil y el pimentón. Salpimiente al gusto. Añada el pepino y la pera.

MENÚ DE LA NOCHE

- ■ 1 tazón de caldo de verduras
- ■ 1 porción de pan blanco
- ■ Espinacas con zanahorias*
- ■ Tapa de ternera asada
- ■ Lechuga con limón
- ■ 1 porción de queso de cabra
- ■ 1 racimo de uvas blancas (150 g)
- ■ Infusión

DÍA 5

*Receta: **2 zanahorias** ● **200 g de espinacas** ● **½ manzana** ● **Jugo de ½ limón amargo** ● **Sal**

Ralle muy finamente las zanahorias. También ralle la manzana y rocíela con jugo de limón para evitar que se oscurezca. Mezcle todo con las espinacas lavadas y cortadas en tiras. Vacíe en una cacerola con 2 cdas. de agua. Tape y cueza a fuego muy lento 15 minutos. Verifique la cocción y revuelva de vez en cuando. Añada sal al final de la cocción.

¡Además!
- Siempre es mejor una sopa casera en lugar de una sopa industrializada, a la cual se le han añadido ingredientes para darle consistencia (como hojuelas de papa, fécula y otros agentes feculentos), así como una importante cantidad de sal.
- Una hierba aromática: cebollín, cebolleta o hierbas finas.
Perfuma todos los platos frescos, calientes y tibios. Es indispensable en la cocina para adelgazar, como el perejil y el perifollo. El cebollín no debe ser picado, sino cortado con tijeras.

No olvide...
Coma la ensalada al principio de la comida, pues facilita la digestión estimulando la secreción de jugos gástricos.

Balance del día
Alrededor de 1300 kcal
25% de proteínas
20% de lípidos
55% de glúcidos

DELICIA DEL DÍA

Lassi

Receta: **1 yogur búlgaro** ● **1 pizca de comino molido** ● **Azúcar edulcorante en polvo** ● **1 puñado de hielo triturado**

En un tazón, vacíe el yogur, el comino, el hielo triturado y el azúcar edulcorante. Licue 5 minutos. Sirva inmediatamente.

SEMANA 12

DÍA 6

MENÚ DE LA MAÑANA

- Café o té sin azúcar
- **Avena con mango***
- ½ pera

Receta: ½ mango ● 30 g de hojuelas de avena ● 1 vaso de leche descremada ● Azúcar edulcorante líquida resistente al calor

Corte la fruta en dados. Hierva la leche y vacíela en las hojuelas de avena, endulce al gusto con azúcar edulcorante. Añada los dados de mango.

MENÚ DEL MEDIODÍA

- 1 porción de pan blanco
- **Ensalada de pollo a la naranja***
- Lechuga con vinagreta ligera
- 1 queso tipo petit-suisse
- Ensalada de melón con kiwi (receta 10.1)
- Café o té sin azúcar

Receta: 1 escalopa de pollo ● 1 rama de apio ● 1 lata de germen de soya ● 2 cdas. de mayonesa ligera (receta 9.3) ● 1 naranja

Cueza la escalopa de pollo en una sartén con revestimiento antiadherente untada con aceite. Deje enfriar. Corte el pollo en tiras en una ensaladera junto con el apio en trozos pequeños. Añada la mayonesa, el jugo de naranja y pimienta. Ponga 30 minutos en el frigorífico.

MENÚ DE LA NOCHE

- 1 tazón de caldo de verduras
- 1 porción de pan blanco
- *Omelette* de verduras*
- Lechuga con limón
- 1 porción de queso de cabra fresco
- 2 higos frescos
- Infusión

Receta: 2 huevos ● ½ lata de macedonia de verduras ● Sal, pimienta ● 1 cdta. de mantequilla

Escurra la macedonia. Bata los huevos en un tazón. Salpimiente. Añada las verduras. En una sartén con revestimiento antiadherente,

derrita la mantequilla y vacíe la *omelette*. Cueza a fuego lento hasta que la consistencia de los huevos sea la correcta.

¡Además!
Consiéntase con un chocolate.

No olvide...
La mermelada envinada del *vieux garçon* se consume en Año Nuevo después de haberla macerado al menos 3 meses.

> Balance del día
> Alrededor de 1300 kcal
> 25% de proteínas
> 20% de lípidos
> 55% de glúcidos

DELICIA DEL DÍA

Mermelada del *vieux garçon* o del oficial

Receta: **todas las frutas que se encuentran durante el verano y el otoño. Por ejemplo, plátanos, frutas rojas, duraznos, albaricoques, mango, ciruelas, manzanas, clementinas, peras. etc. ● 1 botella de alcohol de fruta ● 10 cl de azúcar edulcorante líquida ● ½ litro de ron añejo ● Canela molida ● Clavos de olor ● Anís verde**

Ponga en un frasco de 5 litros, a medida que vayan pasando las estaciones del año, capas de frutas lavadas, deshuesadas, secas y cortadas en dados que se van cubriendo con alcohol de fruta, unas cucharadas de ron y 1 cda. de azúcar edulcorante por cada ¼ de litro de alcohol. Espolvoree con 1 pizca de cada especia y 1 clavo de olor. La maceración debe ser de por lo menos tres meses para todas las frutas. Cuando esté lleno, cierre el frasco herméticamente (por ejemplo, con un corcho envuelto en un lienzo) y colóquelo en un lugar oscuro y fresco. Cada postre debe representar 100 g de fruta y 3 cdas. de jugo. Nunca deje las frutas destapadas en el frasco; verifique que el alcohol las cubra siempre. Es una receta que se prepara durante todo el año y se consume poco a poco con moderación.

SEMANA 12

MENÚ DE LA MAÑANA

- Café o té sin azúcar
- Strudel de duraznos*
- 1 jugo de manzana

*Receta: 1 yema de huevo ● 3 cdas. de leche descremada ● 2 cdas. de harina integral ● 2 cdtas. de mantequilla ● 1 cdta. de almendras molidas ● 1 pizca de canela ● Azúcar edulcorante líquida resistente al calor ● 1 pizca de vainilla ● 2 duraznos blancos

Bata la yema de huevo con unas gotas de azúcar edulcorante. Añada las almendras molidas y la vainilla en polvo. Agregue la leche descremada. Reserve la crema obtenida. Derrita la mantequilla en una cacerola. Aparte del fuego, ponga la harina junto con la canela molida y endulce con unas gotas de azúcar edulcorante. La mezcla debe quedar granulosa. En un refractario, coloque las frutas en trozos pequeños. Cubra con la crema y espolvoree con la mezcla granulosa. Gratine 10 minutos. Vigile la cocción, que es rápida. Los trozos de pasta deben estar dorados.

MENÚ DEL MEDIODÍA

- 1 porción de pan blanco
- Aguacate con mayonesa*
- Lechuga con vinagreta ligera
- 1 queso crema de gruyer
- *Mousse* de grosellas (receta 12.7)
- Café o té sin azúcar

*Receta: ½ aguacate ● 1 cda. de mayonesa ligera (receta 9.3.) ● 1 cda. de cebollín fresco picado ● ½ bulbo de hinojo ● 3 cdas. de vinagreta ligera ● 1 lata de mejillones al natural

Vacíe la mayonesa en una ensaladera. Añada los mejillones escurridos, el hinojo picado toscamente y el aguacate cortado en dados. Mezcle con suavidad para no magullar el aguacate.

MENÚ DE LA NOCHE

- 1 porción de pan blanco
- Sopa de col morada*
- 1 trozo de res para brasear

DÍA 7

- Lechuga con limón
- 1 yogur
- Infusión

*Receta: ¼ de cubo de consomé ● ¼ de col morada ● 1 cda. de vinagre ● Perifollo fresco picado ● 1 cda. de leche descremada en polvo

Lave la col repetidas veces, siempre cambiando el agua. Escúrrala con cuidado y píquela finamente. Póngala en agua hirviendo con sal durante 10 minutos. Escúrrala. Enjuáguela en agua fría. Rocíela con vinagre. Prepare ½ litro de caldo con el cubo y el agua hirviendo que cubra la col (20 minutos). Añada la leche en polvo, mezcle todo bien y espolvoree con perifollo.

¡Además!

Prepare una crema inglesa con una de las dos yemas de huevo restantes para acompañar el *mousse* de grosellas.

No olvide...

Las margarinas son tan calóricas como la mantequilla, pero un poco menos que el aceite.

Balance del día

Alrededor de 1500 kcal

25% de proteínas

20% de lípidos

55% de glúcidos

DELICIA DEL DÍA

Mousse de grosellas (casis)

150 g de grosellas ● 2 claras de huevo ● 1 cda. de vainilla en polvo ● Azúcar edulcorante en polvo

Licue las frutas. Reduzca el jugo calentando las frutas en una cacerola a fuego lento. Añada la vainilla durante la cocción. Bata las claras de huevo a punto de turrón. Mezcle la compota con las claras de huevo. Endulce con azúcar edulcorante. Consuma 30 minutos después de su preparación.

semana 13

LISTA DE COMPRAS DE LA SEMANA 13

Los sobrantes de la semana anterior

½ manzana
4 quesos crema de gruyer
½ aguacate
¾ de col morada
½ pepino
½ lata de macedonia de verduras
mantequilla
queso parmesano
Se utilizarán esta semana.

Comestibles

1 lata chica de rebanadas de piña en almíbar ligero (10 rebanadas máximo)
1 lata de 50 g (masa drenada) de frijoles rojos
1 lata de 50 g (masa drenada) de chícharos
10 huevos

Panadería

1 pan integral

Bebidas

¡No olvide el agua!
1 botella de buen vino blanco de mesa
3 jugos de tomate (200 g x 3) sin azúcar

Hierbas aromáticas frescas

Perifollo

Infusión de hierbas

Majuelo

Verduras

1 cabeza de ajo
1 berenjena pequeña
4 zanahorias
8 champiñones
2 champiñones grandes
1 coliflor pequeña
1 calabacita pequeña
3 endivias
200 g de mízcalos
300 g de ejotes
2 nabos
6 cebollas amarillas
2 cebollas blancas
1 manojo de perejil fresco
200 g de chícharos para pelar
2 puerros
200 g de vainas de chícharos tiernos
2 pimientos
2 lechugas bien compactas
14 tomates
1 aguacate

Frutas

11 albaricoques
1 plátano
2 nectarinas
100 g de grosellas (casis)
5 limones
100 g de fresas frescas
100 g de grosellas silvestres
100 g de grosellas rojas
2 melones
1 naranja
1 toronja
3 duraznos
2 peras
1 manzana
1 racimo de uvas negras (120 g)

Lácteos

50 g de crema fresca
500 g de queso blanco
1 litro de leche descremada
4 yogures
6 quesos tipo petit-suisse

Carnicería

Compre las carnes y el pescado a medida que se necesiten, el día anterior a su consumo.

PRIMER DÍA

1 rebanada de tocino ahumado (20-30 g)
1 rebanada de jamón blanco (unos 100 g)

SEGUNDO DÍA

1 escalopa de ternera (unos 120 g)

TERCER DÍA

1 rebanada de jamón blanco (unos 100 g)

150 g de corazón de ternera

CUARTO DÍA

1 medallón de res (unos 120 g)

QUINTO DÍA

1 hígado de ternera (unos 120 g)

SEXTO DÍA

120 g de escalopa de pavo

SÉPTIMO DÍA

1 filete de cerdo (unos 120 g)
1 tapa de ternera (unos 120 g)

Pescadería

CUARTO DÍA

3 calamares grandes (unos 150 g)

SEXTO DÍA

1 filete de bacalao fresco (unos 130 g)

Varios

■ Prepare por adelantado 2 litros de caldo de verduras para las noches de la semana.
■ Prevea 3 lechugas verdes frescas como acompañamiento de las comidas de la semana.
■ No olvide llenar el frigorífico con "antiantojos".
■ Verifique que no falte nada en la "despensa ideal".

SEMANA 13

DÍA 1

MENÚ DE LA MAÑANA

- Café o té sin azúcar
- Cereales, queso blanco, compota de manzanas y fresas*
- 1 jugo de tomate

*Receta: 2 panes tostados ● 100 g de queso blanco ● 1½ manzana ● 100 g de fresas ● ½ cdta. de vainilla en polvo ● Azúcar edulcorante en polvo

Pele y corte las manzanas. Cueza en una cacerola con ¼ de vaso de agua hasta quedar reducido a puré. Añada la vainilla durante la cocción. Endulce al gusto al final. Agregue las fresas previamente cortadas a la compota todavía caliente. Revuelva durante la cocción para que no se pegue, añada agua de ser necesario. Mezcle la compota tibia con el queso, unte sobre los panes tostados.

MENÚ DEL MEDIODÍA

- 1 porción de pan integral
- Huevos al curry*
- ½ aguacate
- Lechuga con vinagreta ligera
- 3 rebanadas de piña
- Café o té sin azúcar

*Receta: 2 huevos duros ● ½ cebolla ● 8 cdas. de leche descremada ● ½ cdta. de curry ● ½ cdta. de harina ● Sal, pimienta ● 200 g de ejotes

En una cacerola, cueza la cebolla picada con la mitad de la leche durante 10 minutos revolviendo todo el tiempo. Agregue la harina y el resto de la leche; revuelva vigorosamente para que no se hagan grumos. Salpimiente. Añada el curry. Corte los huevos en rodajas, colóquelas en un refractario y vierta la salsa encima. Hornee en la parrilla del horno 5 minutos. Cueza los ejotes al vapor. Acompañe con los huevos.

MENÚ DE LA NOCHE

- 1 tazón de caldo de verduras
- 1 porción de pan integral
- 1 rebanada de jamón blanco
- Lechuga cocida*

- 100 g de queso blanco
- Infusión

*Receta: 1 cebolla ● 2 lechugas ● 1 tomate ● 1 pizca de pimentón (paprika) ● Sal, pimienta ● 100 g de salsa española (receta 3.4)

Lave las lechugas sin desprender las hojas. Guarde sólo las hojas tiernas (2/3 de la lechuga). Póngalas en una cacerola con agua hirviendo con sal 4 minutos. Escurra. En una sartén, reduzca el tomate cortado en rodajas finas y la cebolla también cortada, durante 10 minutos, y después añada las lechugas y cueza 20 minutos más; verifique la cocción regularmente. Espolvoree con pimentón. Salpimiente. Prepare la salsa y sírvala aparte.

No olvide...
Guarde 100 g de ejotes para el jamón en cazuela de pasado mañana.

Balance del día
Alrededor de 1400 kcal
25% de proteínas
20% de lípidos
55% de glúcidos

DELICIA DEL DÍA

Tarta merengada con manzanas sin pasta

1 manzana ● 2 huevos ● 1 vaso de leche descremada ● Azúcar edulcorante líquida resistente al calor

Corte la manzana en rebanadas muy finas. Póngalas en el plato en forma de corona en el fondo de un molde de tarta individual. Separe las yemas de las claras de los huevos. Bata las yemas con unas gotas de azúcar para obtener una mezcla espumosa. Hierva la leche. Añada las yemas batiendo para que no se coagule. Vierta esta preparación sobre las manzanas. Hornee 25 minutos (220 a 240 °C). Bata las claras a punto de nieve. Añada unas gotas de azúcar edulcorante. Cubra las manzanas y el flan con el merengue. Ponga en el horno de nuevo.

SEMANA 13   DÍA 2

MENÚ DE LA MAÑANA

- Café o té sin azúcar
- Flan de albaricoques*
- 1 pan tostado

*Receta: 1 huevo ● 4 albaricoques ● Azúcar edulcorante líquida resistente al calor ● ½ cdta. de vainilla en polvo ● ½ vaso de leche descremada

Corte los albaricoques en 6. Deshuese. Ponga las caras cortadas en un refractario. Bata el huevo vigorosamente; añada el ½ vaso de leche. Endulce al gusto con azúcar edulcorante y añada la vainilla. Cubra los albaricoques con la mezcla y hornee 10 minutos (200 a 220 °C); verifique que el huevo esté bien cocido.

MENÚ DEL MEDIODÍA

- 1 porción de pan integral
- Escalopa de ternera en salsa de perejil*
- Ensalada de ½ pepino en salsa de eneldo (receta 1.4)
- 1 yogur
- Café o té sin azúcar

*Receta: 1 escalopa de ternera ● 125 g de salsa de perejil ● 200 g de chícharos tiernos

Cueza al vapor los chícharos. Ase la carne en una sartén con revestimiento antiadherente. Prepare la salsa. Sofría los chícharos en la sartén donde coció la carne. Bañe con la salsa.

MENÚ DE LA NOCHE

- 1 tazón de caldo de verduras
- Pizza de tomate*
- Lechuga con limón
- 100 g de queso blanco
- Infusión

*Receta: 3 panes tostados ● 2 huevos ● 3 cdtas. de leche descremada en polvo ● 1 tomate ● ½ pimiento ● Tomillo ● Laurel ● Romero ● Orégano ● Sal, pimienta.

Desmenuce los panes tostados y mézclelos con las yemas de huevo. Añada la leche en polvo. Bata las claras a punto de nieve y agré-

guelas a la pasta. Salpimiente y ponga 1 pizca de aromatizantes (tomillo, laurel, romero, orégano). Extienda la pasta en un molde para tarta antiadherente. Adorne con rodajas de tomate y pimiento cortado en tiras finas. Hornee durante 15 o 20 minutos (200 a 220 °C).

¡Además!

- Consiéntase con 10 o 15 g de malvavisco.
- Una especia: el pimiento.

Existen unas 90 especies. Entre ellas, los pimientos fuertes, (mientras más pequeño es el fruto, más fuertes son); los pimientos más picosos (como los chiles o ajíes, las guindillas y los de Cayena). El pimiento de Jamaica, que pertenece a otra familia, la del clavo, tiene un sabor fuerte, aunque menos picante. La variedad utilizada en las recetas que aquí se proponen es el de Cayena.

No olvide...

- Prepare el agua de melón para mañana.
- La comida debe ser un tiempo de verdadero relajamiento.

Balance del día

Alrededor de 1400 kcal

25% de proteínas

20% de lípidos

55% de glúcidos

DELICIA DEL DÍA

Salsa de perejil

Receta: 1 yogur ● 1 cda. de mostaza ● 1 cda. de jugo de limón ● 3 cdas. de perejil fresco picado ● 1 pepinillo ● 1 pizca de azúcar en polvo ● Sal, pimienta

Primero mezcle bien todos los ingredientes, excepto el yogur. Añada después esta pasta al yogur y bata. Mientras más bata la mezcla, más cremosa quedará.

SEMANA 13

MENÚ DE LA MAÑANA

- Café o té sin azúcar
- *Crumble* de pera y plátano*
- 1 vaso de agua de melón (receta 12.4)

*Receta: 1 queso tipo petit-suisse ● 1 clara de huevo ● 1 cda. de hojuelas de avena ● 5 cdas. de *corn flakes* ● 3 cdas. de granola sin azúcar ● Azúcar edulcorante líquida resistente al calor ● 1 pan tostado ● 1 pera ● ½ plátano ● 1 punta de vainilla en polvo

Vacíe las frutas lavadas y cortadas en trozos pequeños en un refractario (corte las frutas encima del plato para no perder el jugo). Bata el queso tipo petit-suisse y la clara de huevo. Añada los diferentes cereales con unas gotas de azúcar edulcorante. Vacíe sobre las frutas cubriéndolas completamente. Espolvoree con vainilla y el pan molido. Gratine 10 minutos, vigilando la cocción.

MENÚ DEL MEDIODÍA

- 1 porción de pan integral
- Corazón de ternera al coñac*
- Ensalada de ¼ de col morada rallada con vinagreta ligera
- Batido de grosellas (casis) (receta 2.4)
- Café o té sin azúcar

*Receta: 1 corazón de ternera ● 1 cdta. de harina ● 1 vasito de coñac ● 1 vaso de jugo de tomate ● Sal, pimienta ● 3 endivias

Lave el corazón. Retire los filamentos blancos. Córtelo en rebanadas delgadas. Vierta el jugo de tomate en una cazuela. Caliente y después añada las rebanadas de corazón y la harina. Salpimiente. Cocine a fuego lento. Cuando hierva la mezcla, vierta el coñac y flamee. Cueza 10 minutos. Cocine al vapor las endivias cortadas en 2 y sofríalas en la cazuela después de retirar la carne y una parte de la salsa.

MENÚ DE LA NOCHE

- 1 tazón de caldo de verduras
- 1 porción de pan integral
- Jamón a la cazuela*

DÍA 3

- Lechuga con limón
- 1 queso crema de gruyer
- 3 rebanadas de piña
- Infusión

*Receta: 1 rebanada de jamón ● 2 zanahorias ● 2 nabos ● ¼ de col morada ● 100 g de ejotes ● 1 vaso de vino blanco ● Sal, pimienta ● 5 semillas de hinojo

Corte las verduras en bastones, en rodajas finas o píquelas. Mézclelas y condimente. Ponga la mitad de las verduras en el fondo de un refractario. Coloque la rebanada de jamón; cubra con el resto de las verduras. Bañe con vino. Hornee a temperatura moderada (180 a 200 °C) con el plato tapado durante 50 minutos. Si las verduras se secan, rocíelas con un poco de agua.

No olvide...

Si lo invitan a un bufet, (¡abundancia de platillos donde uno mismo se sirve!), coma 1 o 2 alimentos ricos en proteínas, como un flan de proteínas, leche, yogur, antes de hacer honor a la invitación… para no lanzarse sobre la comida y comer razonablemente.

Balance del día
Alrededor de 1400 kcal
25% de proteínas
20% de lípidos
55% de glúcidos

DELICIA DEL DÍA

Salsa roquefort

Receta: 20 g de queso roquefort ● 1 cda. de crema fresca ● Unas gotas de vinagre ● 1 cda. de yogur ● 1 punta de pimentón (paprika)

Machaque en un tazón el queso y añada la crema y el yogur en pequeñas cantidades; bata hasta obtener una mezcla cremosa; añada el vinagre y el pimentón. Salpimiente al gusto.

SEMANA 13

DÍA 4

MENÚ DE LA MAÑANA

- Café o té sin azúcar
- Quesos tipo petit-suisse con cereales y albaricoques*
- ½ melón

*Receta: 2 quesos tipo petit-suisse ● 4 albaricoques ● 5 cdas. de hojuelas de avena ● ½ limón ● Azúcar edulcorante en polvo

Corte las frutas en dados pequeños. Rocíe con el jugo de limón. Endulce con azúcar edulcorante. Mezcle con las hojuelas de avena. Revuelva todo con los quesos.

MENÚ DEL MEDIODÍA

- 1 porción de pan integral
- Olla de calamares*
- Lechuga con vinagreta ligera
- 1 porción de queso crema de gruyer
- 1 vaso de agua de melón
- Café o té sin azúcar

*Receta: 150 g de calamares ● 200 g de mízcalos ● 2 champiñones grandes ● 1 tomate ● 1 punta de ajo ● 1 vasito de vino blanco ● 1 cdta. de mantequilla ● 1 cdta. de crema fresca ● Perifollo fresco picado ● Pimentón (paprika) ● Sal, pimienta

Enjuague los calamares con agua fría. Córtelos en láminas. Parta el tomate en cuartos. Lave los champiñones. En una sartén con antiadherente, vacíe los calamares y el tomate. Salpimiente. Espolvoree con pimentón. Añada el vino blanco y hierva 15 minutos. En otra sartén, machaque el ajo, añada la mantequilla y cueza los champiñones 15 minutos revolviendo frecuentemente. Presente los calamares rodeados de champiñones en una fuente y coloque a un lado la crema fresca; espolvoree con perifollo fresco picado.

MENÚ DE LA NOCHE

- 1 tazón de caldo de verduras
- Chícharos con tomates*
- 1 medallón de res asado
- Lechuga con limón
- 1 queso crema de gruyer
- 1 racimo de uvas negras (120 g)

- Infusión

*Receta: 120 g de chícharos desenvainados (200 g sin pelar) ● 1 tomate ● 1 cebolla blanca ● 1 vaso de vino blanco ● Sal, pimienta

En una cazuela vacíe los chícharos con la cebolla rebanada. Añada el tomate cortado en rebanadas finas. Salpimiente. Bañe con 3 vasos de agua. Tape y cueza a fuego lento 25 minutos. Verifique el nivel del líquido; siempre debe haber suficiente para cubrir los chícharos.

¡Además!
- Consiéntase con una lengua de gato grande de una bombonería tradicional.
- Una infusión: el escaramujo.
Se utiliza ya sean las flores o las bayas. Su sabor acidulado y suave posee virtudes tonificantes, diuréticas y ligeramente laxantes. El escaramujo contiene mucha vitamina C y es una infusión excelente para recuperar energía.

No olvide...
Para que la maceración sea más fina y el sabor más pronunciado, se puede colar el agua de melón hasta el momento de beberla.

Balance del día
Alrededor de 1400 kcal
25% de proteínas
20% de lípidos
55% de glúcidos

DELICIA DEL DÍA

Agua de melón (receta para 2 vasos grandes)

Receta: **1 melón ● 1 limón ● Unas gotas de agua de azahar ● ½ litro de agua natural ● 2 cdas. de azúcar edulcorante en polvo**

Prepare un almíbar con el agua y el azúcar edulcorante. Tome la pulpa del melón. Redúzcala a puré con el tenedor o en la licuadora. Mézclelo con el almíbar. Macere 12 horas en el frigorífico. Cuele. Añada el jugo de limón y la flor de azahar. Sirva frío.

SEMANA 13

MENÚ DE LA MAÑANA

- Café o té sin azúcar
- 1 huevo duro
- Compota de durazno y piña*
- 1 porción de pan integral
- 1 cdta. de mantequilla

*Receta: 2 duraznos ● 3 rebanadas de piña ● 1 cda. de vainilla en polvo ● Azúcar edulcorante líquida resistente al calor

Corte las frutas en trozos y cuézalas en una cacerola con ¼ de vaso de agua hasta reducir a puré. Añada la vainilla. Endulce al gusto al final de la cocción. Revuelva constantemente para que no se pegue. Añada agua si es necesario.

MENÚ DEL MEDIODÍA

- 1 porción de pan integral
- Hígado con soya*
- Lechuga con vinagreta ligera
- 100 g de queso blanco
- Grosellas al vino (receta 13.5)
- Café o té sin azúcar

*Receta: 1 rebanada de hígado de ternera ● 1 cda. de salsa de soya ● 1/2 cdta. de harina ● 1 punta de mostaza ● 2 cebollas ● Sal, pimienta

Ponga el hígado en un plato refractario y rocíelo con salsa de soya. Deje reposar 10 minutos. Voltee de vez en cuando para que se impregne bien. Espolvoree el hígado con harina. Salpimiente. Colóquelo nuevamente en el plato. Mezcle la mostaza con un poco de agua en el fondo de un vaso. Vacíe sobre el hígado. Añada las cebollas picadas finamente repartidas en el plato sobre el hígado. Tape y hornee 20 minutos (220 a 240 °C). Destape y cueza 10 minutos más. Prolongue la cocción destapada si es necesario.

MENÚ DE LA NOCHE

- 1 tazón de caldo de verduras
- Hojuelas de avena vegetarianas*
- Lechuga con limón
- 1 queso crema de gruyer

DÍA 5

- 1 durazno
- Infusión

*Receta: 1 lata de chícharos (50 g) ● 1 lata de frijoles rojos (50 g) ● ½ lata de macedonia de verduras (50 g masa drenada) ● 1 berenjena pequeña ● 1 calabacita pequeña ● ½ pimiento ● ¼ de col morada ● 6 cdas. de hojuelas de avena ● Sal, pimienta ● 1 ramillete de hierbas de olor ● 1 cdta. de germen de trigo

Blanquee 5 minutos la col en una cacerola con agua hirviendo con sal. Escurra. En una cacerola de agua hirviendo con sal aromatizada con el ramillete de hierbas de olor, vacíe todas las verduras cortadas (excepto la macedonia, los frijoles rojos, los chícharos de lata y la avena). Cueza 25 minutos. Ponga de nuevo la cacerola con ½ vaso de agua. Lleve al punto de ebullición y añada la macedonia, los frijoles rojos y los chícharos. Espolvoree con hojuelas de avena. Cocine 10 minutos revolviendo. Espolvoree con germen de trigo. Salpimiente. Acompañe con la salsa de coliflor preparada.

No olvide...

Prepare las grosellas al vino en la mañana para degustarlas al mediodía después de un tiempo razonable de maceración.

Balance del día
Alrededor de 1400 kcal
25% de proteínas
20% de lípidos
55% de glúcidos

DELICIA DEL DÍA

Grosellas en vino

Receta: 100 g de grosellas silvestres ● 100 g de grosellas rojas ● ¼ de vaso de vino tinto ● ½ cdta. de vainilla en polvo ● Azúcar edulcorante en polvo

Lave las grosellas y escúrralas bien. Corte las grosellas silvestres en 2. En una ensaladera vacíe todas las frutas, añada el vino tinto aromatizado con la vainilla y el azúcar edulcorante. Macere 90 minutos en el frigorífico.

SEMANA 13   DÍA 6

MENÚ DE LA MAÑANA

- Café o té sin azúcar
- Granola, yogur y albaricoques cocidos*
- ½ melón

*Receta: 40 g de granola sin azúcar ● I yogur ● 3 albaricoques ● I punta de anís molido ● I punta de canela en polvo ● I clavo de olor ● I punta de vainilla en polvo ● Azúcar edulcorante líquida resistente al calor

Corte los albaricoques en 2 y escálfelos 10 minutos en una cacerola con agua hirviendo endulzada con azúcar edulcorante, en la que se habrá hecho una infusión con el clavo de olor, la canela, la vainilla y el anís. Escurra. Mezcle la granola, el yogur y las frutas tibias. Rocíe con 3 cdas. del jugo de la cocción de las frutas.

MENÚ DEL MEDIODÍA

- I porción de pan integral
- Bacalao fresco al azafrán*
- Lechuga con vinagreta ligera
- 2 quesos tipo petit-suisse
- 2 nectarinas
- Café o té sin azúcar

*Receta: I filete de bacalao fresco ● 3 tomates ● I cebolla ● 2 puerros ● I punta de ajo ● Sal, pimienta ● 3 semillas de hinojo ● I cápsula de azafrán

Parta los tomates en cuartos. Aplaste el ajo. Corte la parte blanca de los puerros. Pique la cebolla. Cueza en una cacerola bastante grande con I vaso de agua. Añada los aromatizantes y las especias, y hierva 20 minutos tapado. Ponga el pescado. Agregue agua de ser necesario. Suba el fuego para soasar el pescado, bájelo de nuevo y rehogue 10 minutos. Condimente otra vez.

MENÚ DE LA NOCHE

- I tazón de caldo de verduras
- I porción de pan integral
- Champiñones Saint-Tropez*
- I escalopa de pavo asado a la sartén
- Lechuga con limón
- I naranja
- Infusión

*Receta: 8 champiñones ● Perejil fresco picado ● I vaso de caldo de verduras ● 4 aceitunas negras ● Sal, pimienta ● I punta de ajo

Lave los champiñones. Córtelos en 2 o 4 según el tamaño. Caliente el vaso de caldo en una cacerola y vacíe los champiñones, el ajo machacado y las aceitunas deshuesadas. Cueza a fuego muy lento 5 minutos. Escurra de ser necesario. Espolvoree con perejil fresco picado.

¡Además!

- I vaso de vino tinto para acompañar el bacalao fresco al azafrán.
- Una mezcla de especias: las cuatro especias. Mezcla clásica de la cocina y la pastelería: clavo, nuez moscada, canela y pimienta; se utiliza en las carnes (cerdo, pato: la mezcla clave del pato laqueado). Con 2 o 3 g de azúcar, estas especias cobran toda su fuerza en la cocina.

No olvide...

¿Una porción de la tarta que le ofrecen? Coma el decorado, deje la pasta, es donde se encuentran las calorías de más peso.

Balance del día

Alrededor de 1300 kcal
25% de proteínas
20% de lípidos
55% de glúcidos

DELICIA DEL DÍA

Torrejas con frutas

Receta: I porción de pan integral (2 rebanadas finas) ● 4 cdas. de leche descremada ● I huevo ● ½ pera ● ½ manzana ● I pizca de canela ● Azúcar edulcorante líquida resistente al calor ● I cda. de Armañac

Bata el huevo, endulce. Remoje el pan duro en la leche y después en el huevo batido. Tueste las rebanadas de pan por ambos lados en una sartén con revestimiento antiadherente. Prepare una ensalada de frutas con la manzana y la pera cortadas en pequeños dados. Rocíe con I cucharada de Armañac.

SEMANA 13   DÍA 7

MENÚ DE LA MAÑANA

■ Café o té sin azúcar
■ Toronja con *corn flakes**

*Receta: ½ toronja ● 30 g de *corn flakes* ● 1 cdta. de miel ● 100 g de queso blanco

Pele la media toronja encima de un tazón para no perder el jugo. Derrita la miel en el jugo de toronja. Añada el queso blanco y los *corn flakes*. Endulce al gusto con azúcar edulcorante. Se puede sustituir la toronja por 1 naranja o por 2 o 3 clementinas para obtener un sabor más dulce.

MENÚ DEL MEDIODÍA

■ 1 porción de pan integral
■ Brochetas de cerdo con verduras*
■ Lechuga con vinagreta ligera
■ *Mousse* de pera (receta 13.7)
■ Café o té sin azúcar

*Receta: 1 filete de cerdo ● 1 pimiento ● 2 tomates ● 1 cdta. de aceite ● 1 cebolla ● Perejil fresco picado ● Pimentón (paprika) ● Sal, pimienta

Corte la carne en cubitos. Lave los tomates, la cebolla y los pimientos. Córtelos en trozos. Forme la brocheta ensartando uno tras otro, según su gusto, los trozos de carne y verduras. Espolvoree la brocheta con perejil. Condimente, póngale un poco de aceite, gratine en el horno o fría en una sartén con revestimiento antiadherente alrededor de 5 minutos por cada lado.

MENÚ DE LA NOCHE

■ 1 porción de caldo de verduras
■ Sopa de tomate*
■ Lechuga con limón
■ 1 queso tipo petit-suisse
■ 1 tapa de ternera asada en la sartén
■ Infusión

*Receta: 5 tomates ● 1 jugo de tomate (200 g) ● 1 zanahoria pequeña ● ½ cebolla ● ½ cubo de consomé ● Orégano ● Nuez moscada rallada ● 1 cda. de queso parmesano ● Perejil fresco picado

Ponga los tomates pelados y cortados en cuatro junto con el jugo de tomate en una cacerola. Añada las demás verduras (zanahorias, cebolla) cortadas en trozos muy pequeños. Condimente con el orégano, la nuez moscada y el laurel. Revuelva hasta que llegue al punto de ebullición. Tape y rehogue 20 minutos. Espolvoree con perejil y queso parmesano. Se puede licuar.

¡Además!
Sustituya la ración de pan de la noche por crutones para la sopa de tomate.

No olvide...
Para no engordar, ¡actúe al tercer kilo de más! Es normal tener una variación de 2 kilos de más o de menos de una semana a otra según los periodos del mes... o el grado de fatiga, de nerviosismo e incluso de "gran felicidad".

Balance del día
Alrededor de 1400 kcal
25% de proteínas
20% de lípidos
55% de glúcidos

DELICIA DEL DÍA

Mousse de pera

1 pera ● 2 claras de huevo ● ½ cdta. de vainilla en polvo ● Azúcar edulcorante en polvo

Cueza en una cacerola con 1 cda. de agua la pera pelada y cortada en trozos después de haberle quitado el corazón. Añada la vainilla y prepare una compota. Bata las claras a punto de turrón. Mezcle la compota con las claras de huevo; endulce con azúcar edulcorante. Consuma 30 minutos después de su preparación.

Con los sobrantes de la semana, usted decide lo que sigue...

tabla de calorías

TABLA DE CALORÍAS

Alimento	Categoría	Calorías	Proteínas	Lípidos	Glúcidos	Rico en
Alcohol (toda clase)	Bebida	240	0	0	0	
Cerveza	Bebida	46	0.4	0	0.5	vitamina B
Infusiones	Bebida	0	0	0	0	
Jugo de tomate	Bebida	21	1	0.2	3.8	potasio
Jugo de manzana	Bebida	53	0.1	0.1	13	potasio
Jugo de naranja	Bebida	50	0.5	0.1	11.7	vitamina C
Jugo de toronja	Bebida	42	0.5	0.1	10	vitamina C
Jugo de uva	Bebida	68	0.1	0.2	16.6	potasio
Refresco (tipo cola)	Bebida	44	0	0	11	
Vino blanco	Bebida	72	0	0	4	
Vino tinto	Bebida	67	0	0	0.2	
Cabrito	Carne	120	22	3.5	0	hierro
Cachete de res	Carne	197	16	15	0.3	hierro
Carnero	Carne	289	16	25	0	hierro
Cerdo	Carne	290	16	25	0	zinc, hierro, potasio, fósforo
Codorniz	Carne	115	24	2	0	hierro
Conejo	Carne	160	22	8	0	hierro
Corazón de res	Carne	126	17	6	1	vits. A, B, C, hierro
Corazón de ternera	Carne	127	15	7.5	1	vits. A, B, C, hierro
Cordero	Carne	225	18	18	0	zinc, hierro, vitaminas
Costillas de cerdo	Carne	330	15	30	0	hierro
Hígado de ave	Carne	136	22	22	0	hierro
Hígado de ternera	Carne	116	20	4	1	hierro
Jamón blanco	Carne	302	22	22	0	sodio
Jamón crudo	Carne	330	15	30	0	sodio
Medallón de res	Carne	156	21	8	0	hierro
Molleja de ternera	Carne	125	20	3	0	hierro
Morcilla negra (moronga)	Carne	304	45.5	13.3	0.6	hierro
Pata de ternera	Carne	75	19	10	0	hierro
Pato	Carne	250	20	17.5	0	vit. B, hierro
Pavo	Carne	121	21	7.5	0	vit. B, zinc, potasio
Pichón	Carne	108	22	2	0.5	hierro
Pollo con piel	Carne	230	21	7.5	0	vit. B, zinc, fósforo
Pollo sin piel	Carne	121	21	7.5	0	vit. B, zinc, fósforo
Pulpeta de ternera	Carne	201	17.8	14.34	0.16	hierro
Rabo de res	Carne	197	16	15	0.3	hierro
Res	Carne	238	20.3	17.4	0	potasio, zinc, hierro
Salchichón	Carne	310	12.5	29	0	hierro
Sesos de cordero	Carne	112	12	8	0	hierro
Ternera	Carne	160	19	9	0	hierro
Tocino ahumado	Carne	670	16	25	0	hierro

Alimento	Categoría	Calorías	Proteínas	Lípidos	Glúcidos	Rico en
Aceite	Comestibles	900	0	100	0	vits. A, D, E
Aceite de oliva	Comestibles	900	900	100	0	vits. A, D, E,
Aceitunas negras	Comestibles	156	1.6	15	3.5	hierro
Aceitunas verdes	Comestibles	123	1	11	5	hierro
Alcohol	Comestibles	243	0	0	0	
Arroz blanco	Comestibles	363	8	1.4	77	magnesio, fibra
Azúcar edulcorante	Comestibles	10	0	0	0	
Azúcar mascabado	Comestibles	384	0.01	0	96	
Cacao sin azúcar	Comestibles	315	18.5	21.7	11.5	
Café	Comestibles	1	0	0	0	
Chocolate con leche	Comestibles	550	5	34	56	magnesio
Chocolate oscuro	Comestibles	530	2	30	63	magnesio
Chocolate relleno	Comestibles	395	2	31.9	62.1	magnesio
Concentrado de tomate	Comestibles	90	3.5	0.5	18	magnesio
Corn flakes	Comestibles	368	8.6	1.6	85.1	fibra
Crema de grosella (casis)	Comestibles	80	0.5	0	14	
Fondo de ave	Comestibles	90	16	9	1	
Fondo de ternera	Comestibles	91	16.35	8.96	1.04	
Gelatina	Comestibles	345	10	0	0	
Germen de trigo	Comestibles	382	25.2	10	47.7	fibra, vit. B
Granola (muesli) sin azúcar	Comestibles	367	14	5	66.5	fibra, magnesio
Harina blanca	Comestibles	348	10.3	1	74.4	fibra
Harina integral	Comestibles	345	12.1	2.1	69.4	fibra
Hojuelas de avena	Comestibles	367	14	5	66.5	fibra, magnesio
Huevo	Lácteos	162	13	12	0.6	8 aminoácidos esenciales, zinc, hierro
Huevo de codorniz	Lácteos	184	13	14.4	0.7	hierro, zinc
Ketchup	Comestibles	110	1.5	0.5	25	
Leche concentrada sin azúcar	Comestibles	149	7.5	8.6	10.4	calcio
Leche descremada en polvo	Comestibles	373	38	1	53	calcio
Maicena	Comestibles	353	0.3	0.1	87.8	fibra
Miel	Comestibles	312	0.5	0	77.5	
Mostaza	Comestibles	135	6.2	10.4	3.5	vit. A, hierro, potasio
Pan tostado	Comestibles	390	10	5	75	fibra
Pastas	Comestibles	375	12.8	1.4	76.5	fibra
Salsa de soya	Comestibles	0	0	0	0	magnesio, fibra
Salsa de tomate natural	Comestibles	50	1.8	0.25	9	
Salsa Tabasco	Comestibles	0	0	0	0	
Salsa Worcestershire	Comestibles	4	0	2	2	
Sémola de trigo	Comestibles	289	11.62	9.41	44.28	fibra
Tapioca	Comestibles	338	11.5	4	35	vit. C, potasio, hierro
Té	Comestibles	0	0	0	0	flúor
Trigo tierno en grano	Comestibles	363	10.5	1.5	69	fibra, magnesio, potasio
Vinagre	Comestibles	0	0	0	0	potasio, fósforo

Alimento	Categoría	Calorías	Proteínas	Lípidos	Glúcidos	Rico en
Arándanos enlatados	Conserva	126	0.3	0.5	30	vitaminas A, C
Arenque en escabeche	Conserva	224	23	12	0	
Atún al natural	Conserva	111	25	1.2	0	sodio, potasio
Camarones al natural	Conserva	82	18.7	0.9	0	sodio
Cangrejo al natural	Conserva	101	17	3	1.3	sodio
Castañas al natural	Conserva	207	3.7	2.3	42.8	potasio
Chícharos enlatados	Conserva	92	4	0	12	potasio
Corazones de palmitos	Conserva	61	4	1.2	12.5	
Filetes de anchoas	Conserva	189	18	13	0	
Frijoles rojos enlatados	Conserva	340	22.3	1.6	57	potasio
Germen de soja enlatado	Conserva	57	6	1.4	5.3	calcio
Macedonia de verduras	Conserva	64	3.2	0.3	12.2	potasio
Mejillones al natural	Conserva	70	12	1.5	2	sodio, potasio, hierro
Pepinillos	Conserva	10	0.5	0.2	2	potasio
Piña en rebanadas	Conserva	96	0.4	0.2	23	fibra, magnesio
Tofu	Conserva	106	11	6.5	1	hierro, magnesio
Tomates pelados al natural	Conserva	22	1	0.2	3.9	vitamina C, potasio
Cubo de consomé de verduras	Especia	4	0	0	0	
Limones confitados a la sal	Especia	380	0.17	10.3	0.15	
Pimiento en puré	Especia	92	2.5	2.5	15	
Rábano picante en puré	Especia	62	3	0.2	12	calcio, fósforo
Vainilla en polvo	Especia	12	0	0	0	
Aguacate	Frutas	167	2.1	16.4	4.7	potasio, ácido fólico
Albaricoques	Frutas	50	0.8	0.2	11.2	vitamina A, potasio
Angélica fresca	Frutas	19	0.6	0.1	3.8	fibra
Arándanos	Frutas	69	0.6	0.6	15.3	vit. C, potasio, sodio
Cerezas	Frutas	77	1	0	17	potasio
Ciruelas	Frutas	50	0.8	0.2	11.2	potasio, vitamina C
Durazno	Frutas	50	0.6	0.1	11.6	vits. C, A, potasio
Durazno blanco	Frutas	50	0.6	0.1	11,6	vits. C, A, potasio
Frambuesas frescas	Frutas	40	1	0.6	8	vit. C, potasio, magnesio
Fresas frescas	Frutas	36	0.7	0.5	7	vit. C, potasio, magnesio
Grosella (casis)	Frutas	60	0.9	0	14	
Grosellas rojas	Frutas	41	1.1	0.2	8.6	vit. C, potasio
Grosellas silvestres	Frutas	30	1	0.5	5	vit. C, potasio
Higos frescos	Frutas	74	1.1	0.3	16.6	potasio, fibra
Kiwis	Frutas	53	1.6	0.3	11	vit. C, potasio
Limón	Frutas	40	0.8	0.6	7.8	vit. C, ácido fólico
Limón verde	Frutas	40	0.8	0.6	16.6	vit. C, potasio
Mango	Frutas	62	0.4	0	15	vits. A, C
Manzana	Frutas	52	0.3	0.3	12	vit. C, potasio, fibra
Melón	Frutas	31	0.8	0.2	6.5	vit. C, potasio
Moras	Frutas	37	0.9	0.0	6.2	magnesio, vit. C, potasio
Naranja	Frutas	50	0.5	0.1	11.7	vitamina C
Nectarinas	Frutas	64	0.7	0	15	

Alimento	Categoría	Calorías	Proteínas	Lípidos	Glúcidos	Rico en
Nectarinas	Frutas	64	0.7	0.1	15	vits. A, C, potasio
Pera	Frutas	61	0.4	0.4	14	potasio, cobre, fibra
Plátano	Frutas	90	1.4	0.5	20	potasio, vitamina C
Ruibarbo	Frutas	19	0.6	0.1	3.8	potasio, vit. C, calcio
Sandía	Frutas	25	0.4	0.2	5.3	vit. C, potasio
Toronja	Frutas	41	6	0.2	9.2	vit. C, potasio
Uva blanca	Frutas	81	1	1	17	potasio, hierro
Uva negra	Frutas	81	1	1	17	potasio, hierro
Almendras	Fruta seca	670	20	54	17	potasio
Avellanas	Fruta seca	656	14	60	16	potasio
Ciruelas pasas	Fruta seca	290	2.3	0.4	70	potasio, hierro, magnesio, vit. A
Coco	Fruta seca	630	6	60	16	hierro, magnesio, potasio
Uvas pasas	Fruta seca	311	1.1	0.1	76.5	magnesio
Crema	Lácteos	300	3	30	4	calcio
Leche de soya	Lácteos	440	1.7	1.1	6.6	potasio, magnesio, cobre, hierro
Leche descremada	Lácteos	34	3.5	0	5	calcio
Mantequilla	Lácteos	761	0.8	84	0.5	vitamina A
Queso blanco 0%	Lácteos	34	3.5	0	5	calcio
Queso blanco 20%	Lácteos	76	5	4	5	calcio
Queso brie	Lácteos	263	17	20.9	1.6	calcio
Queso camembert	Lácteos	312	20	24	4	calcio
Queso cantal	Lácteos	387	23	30	5.8	calcio
Queso Coulommiers	Lácteos	279	15	22	4.8	calcio
Queso crema de gruyere	Lácteos	280	18	22	2.5	calcio
Queso de cabra fresco	Lácteos	260	29	20	15	calcio
Queso feta	Lácteos	260	29	20	15	calcio
Queso Fourme d'Ambert	Lácteos	405	23	35	2	calcio
Queso gouda	Lácteos	358	24.2	27.7	3	calcio
Queso gruyer	Lácteos	398	29	29.7	1.5	calcio
Queso munster	Lácteos	322	21	24	5.3	calcio
Queso parmesano	Lácteos	383	35.6	25.8	2	calcio
Queso petit-suisse 20%	Lácteos	98	10	5.2	2.6	calcio
Queso roquefort	Lácteos	405	23	35	2	calcio
Queso Tome	Lácteos	396	30	12	1.5	calcio
Queso Tome ligero	Lácteos	296	30	30	1.5	calcio
Requesón fresco	Lácteos	150	22	19.5	15	calcio
Yogur 0%	Lácteos	44	5	0	6	calcio
Yogur búlgaro	Lácteos	70	4.4	3.4	5.5	calcio
Yogur natural	Lácteos	51	4.3	1.1	6	calcio
Brioche	Panadería	261	7	5	47	
Pan blanco	Panadería	254	7	0.8	54.7	fibra
Pan integral	Panadería	345	12.1	2.1	69.4	fibra, potasio
Panecillo de leche	Panadería	233	8	1.7	50	
Pastitas	Panadería	427	8.2	10	76	fibra

Alimento	Categoría	Calorías	Proteínas	Lípidos	Glúcidos	Rico en
Abadejo	Pescado	71	17	0.3	0	fósforo
Atún	Pescado	225	27	13	0	fósforo
Bacalao fresco	Pescado	76	17.4	0.7	0	fósforo
Caballa	Pescado	191	19	12.2	0	vit. B, fósforo
Calamar	Pescado	84	16.1	0.9	0	fósforo
Camarón rosado	Pescado	96	18.7	0.9	0	fósforo
Cangrejo (buey de mar)	Pescado	85	16	1.5	0	fósforo
Langostino	Pescado	90	17	2	0	fósforo
Lenguado	Pescado	78	15	2	0	fósforo
Lija	Pescado	106	24	1	0	fósforo
Lucio	Pescado	78	18	0.5	0	fósforo
Merluza	Pescado	92	17	2.6	0	fósforo
Pescadilla	Pescado	90	16	3	0	fósforo
Platija	Pescado	73	16	1	0	fósforo
Rape	Pescado	79	18	1	0	fósforo
Rescaza	Pescado	73	16	0.9	0	fósforo
Rodaballo	Pescado	119	18.5	5	0	fósforo
Salmón ahumado	Pescado	265	21.5	20	0	fósforo
Salmón fresco	Pescado	200	20	14	0	fósforo
Salmonete	Pescado	99	18	3	0	potasio, calcio, fósforo
Sardina fresca	Pescado	154	19.4	8.5	0	fósforo
Acedera fresca	Verduras	25	2.6	0.5	2.6	vit. C, magnesio
Ajo	Verduras	138	6	0.1	28.1	selenio
Albahaca fresca	Verduras	0	0	0	0	potasio, calcio, hierro
Alcachofa	Verduras	40	2	0.1	7.5	potasio, magnesio
Alubias frescas	Verduras	120	8	0.5	21	potasio, magnesio
Apio	Verduras	20	1	0	4	potasio, vit. C, B
Apio-nabo	Verduras	46	2	0.3	8.7	vit. C, fósforo
Berenjena	Verduras	27	1.2	0.2	5.1	potasio, cobre, vit. C, magnesio
Berro	Verduras	21	1.7	0.3	3	vits. A, C, potasio
Betabel (remolacha)	Verduras	42	1.5	0.1	8.5	vit. A, magnesio, hierro
Brócoli	Verduras	34	2.5	0	5.5	vit. C, potasio
Calabacita (zapallito)	Verduras	30	1.3	0	6	potasio, vit. A
Calabaza	Verduras	31	1.3	0.2	4.7	vit. C, potasio
Cebolla roja	Verduras	47	1.4	0.2	10	potasio, vits. C, B
Cebolla blanca	Verduras	31	0.5	0.1	7	potasio. vits. C, B
Cebollín fresco	Verduras	0	0	0	0	vits. C, A, hierro
Champiñones	Verduras	43	4	0.3	6	potasio
Chucrut crudo	Verduras	27	2.70	0.20	4.20	potasio
Col morada (repollo)	Verduras	20	1.7	0.01	3.5	vit. C, ácido fólico
Coliflor	Verduras	30	2.5	0	4.5	vit. C, potasio
Echalote	Verduras	75	1.3	0.2	17	
Endivia	Verduras	20	1	0	4	ácido fólico, potasio, zinc
Lechuga	Verduras	25	4	0.3	1.5	ácido fólico, vitaminas
Espárragos	Verduras	26	2.2	0.2	3.9	potasio, vit. C, cobre

Alimento	Categoría	Calorías	Proteínas	Lípidos	Glúcidos	Rico en
Espinaca fresca	Verduras	26	3.2	0.3	3.7	vit. A, potasio, magnesio
Estragón fresco	Verduras	0	0	0	0	
Chícharos en vaina	Verduras	92	4	0	12	potasio
Chícharos frescos	Verduras	92	4	0	12	ácido fólico, potasio
Hinojo	Verduras	28	1.9	0.2	4.8	potasio, vit. C
Hojas de rábanos	Verduras	25	4	0.3	1.5	potasio, vit. C
Ejotes (chauchas)	Verduras	39	2.5	0	7	potasio, magnesio, vitaminas
Menta fresca	Verduras	0	0	0	0	
Milamores	Verduras	36	2.5	0	7	potasio, magnesio, vitaminas
Mízcalo	Verduras	28	3	0	4	potasio
Nabo	Verduras	35	1.1	0.2	10	potasio, vits. C, B
Papa	Verduras	90	2	0	1.8	potasio, vit. C
Pepino	Verduras	12	0.7	0.1	2	potasio, vit. C
Perejil fresco	Verduras	55	3.7	1	8	potasio, calcio, vit. C, fósforo
Perifollo fresco	Verduras	65	3.6	0.5	11.5	
Pimiento	Verduras	22	1.2	0.2	3.8	vits. C, A
Puerro (poro)	Verduras	42	2	0	7.5	potasio, hierro, ácido fólico
Rábano	Verduras	21	1.1	0.1	3.9	vit. C, potasio
Salsifí	Verduras	77	4	1.2	12.5	potasio, vit. B
Tallos de acelgas	Verduras	33	1	0.6	5	vits. C, A, magnesio, potasio
Tomate	Verduras	31	1.3	0.2	4.7	vits. C, A, potasio
Zanahoria	Verduras	42	1.2	0.3	9	vit. A, potasio

ÍNDICE DE RECETAS

Abadejo con verduritas **semana** 6, **día** 5

Abadejo marinado **semana** 11, **día** 4

Acelgas gratinadas **semana** 3, **día** 5

Agua de melón **semana** 3, **día** 4

Aguacate con mayonesa **semana** 12, **día** 7

Aïgo saou a la provenzal con crutones **semana** 4, **día** 2

Albaricoques a la inglesa **semana** 4, **día** 7

Albaricoques merengados **semana** 6, **día** 5

Alubias tiernas a la *Poitiers* **semana** 2, **día** 3

Apio a la pimienta **semana** 12, **día** 1

Apio roquefort **semana** 8, **día** 6

Arroz a la arlesiana **semana** 11, **día** 1

Arroz con ternera al vino blanco **semana** 11, **día** 3

Arroz pilaf con atún **semana** 11, **día** 7

Asado de pavo al curry **semana** 7, **día** 7

Atún a la vasca **semana** 3, **día** 1

Atún asado con frijoles rojos **semana** 12, **día** 3

Atún con mantequilla y ajo **semana** 1, **día** 2

Atún rojo con *coulis* de calabacitas **semana** 3, **día** 6

Aumônière de moras **semana** 7, **día** 6

Avena a la inglesa **semana** 9, **día** 4

Avena con mango **semana** 12, **día** 6

Bacalao a la provenzal **semana** 7, **día** 7

Bacalao al azafrán **semana** 13, **día** 6

Bacalao fresco marinado en leche **semana** 1, **día** 2

Batido de albaricoque **semana** 12, **día** 1

Batido de cereza **semana** 1, **día** 5

Batido de frambuesa **semana** 3, **día** 4

Batido de grosella (casis) **semana** 2, **día** 4

Batido de grosella **semana** 9, **día** 7

Batido de melocotón **semana** 4, **día** 1

Batido de moras **semana** 11, **día** 4

Batido de plátano y frambuesas **semana** 8, **día** 6

Bavaresa de albaricoques **semana** 7, **día** 7

Bavaresa de cereza **semana** 1, **día** 2

Bavaresa de duraznos **semana** 5, **día** 4

Bavaresa de frambuesa **semana** 11, **día** 5

Bavaresa de grosella (casis) **semana** 4, **día** 6

Bavaresa de melón **semana** 2, **día** 6

Bavaresa de moras **semana** 7, **día** 1

Betabel con echalotes **semana** 7, **día** 6

Brocheta a la parrilla **semana** 9, **día** 7

Brocheta de cerdo con verduras **semana** 13, **día** 7

Brocheta de pollo **semana** 10, **día** 6

Brocheta de verduras **semana** 1, **día** 3

Brócoli al horno **semana** 1, **día** 3

Brócoli con avellanas **semana** 11, **día** 3

Caballa a la alcaravea **semana** 7, **día** 5

Caballa a la mostaza **semana** 8, **día** 2

Caballa marinada **semana** 12, **día** 1

Cabrito con manzanas **semana** 8, **día** 3

Cachete de res con zanahorias y betabel **semana** 3, **día** 1

Caldereta de pollo **semana** 11, **día** 6

Caldo de verduras **semana** 2, **día** 4

Cangrejo relleno **semana** 7, **día** 2

Cangrejo sukiyati **semana** 11, **día** 2

Capacrata **semana** 11, **día** 2

Caponata **semana** 4, **día** 6

Carpaccio y champiñones en ensalada **semana** 4, **día** 2

Cerdo asado con berenjena **semana** 1, **día** 1

Cerdo con soja **semana** 2, **día** 4

Cerdo en salsa de pimienta con arándanos **semana** 7, **día** 5

Cereales, queso blanco, compota de manzanas y fresas **semana** 13, **día** 1

Cerezas al vino **semana** 2, **día** 7

Champiñones a la parmesana **semana** 12, **día** 3

Champiñones Saint-Tropez **semana** 13, **día** 6

Cheeseburguer **semana** 7, **día** 6

Chícharos a la menta **semana** 7, **día** 3

Chícharos con tomate **semana** 13, **día** 4

Chocolate con leche **semana** 1, **día** 1

Chucrut ligero **semana** 3, **día** 4

Chutney de peras y mango **semana** 10, **día** 7

Cóctel de cítricos **semana** 5, **día** 6

Cóctel energético **semana** 11, **día** 6

Cóctel latigazo **semana** 3, **día** 6

Codornices con cerezas **semana** 1, **día** 6

Coliflor con langostinos **semana** 4, **día** 7

Compota con soufflé de frambuesas **semana** 8, **día** 5

Compota de albaricoques **semana** 6, **día** 3

Compota de duraznos con especias **semana** 11, **día** 1

Compota de duraznos **semana** 4, **día** 7

Compota de duraznos y albaricoques **semana** 6, **día** 2

Compota de duraznos y piña **semana** 13, **día** 5

Compota de frutas rojas, **semana** 11, **día** 6

Compota de mango **semana** 3, **día** 1

Compota de manzana y grosellas **semana** 8, **día** 4

Compota de manzanas y frambuesas **semana** 7, **día** 3

Compota de melón con uvas **semana** 1, **día** 2

Compota de melón **semana** 9, **día** 3

Conejo a la cazadora **semana** 1, **día** 7

Conejo a la mostaza **semana** 1, **día** 4

Consomé frío al limón y *omelette* **semana** 8, **día** 4

Copa de ruibarbo **semana** 6, **día** 7

Corazón asado **semana** 10, **día** 3

Corazón de ternera al coñac **semana** 13, **día** 3

Corazones de alcachofas con camarones **semana** 5, **día** 1

Cordero en salsa *soubise* **semana** 11, **día** 5

Corn flakes con albaricoques **semana** 6, **día** 5

Corn flakes con ciruelas **semana** 9, **día** 6

Corn flakes con fresas **semana** 3, **día** 2

Corn flakes con melón **semana** 5, **día** 5
Corn flakes con sandía **semana** 3, **día** 5
Costilla de cerdo en salsa de naranja **semana** 6, **día** 4
Costilla de cordero con albahaca y zanahorias Vichy **semana** 5, **día** 7
Costilla de ternera con mango **semana** 5, **día** 6
Costillas de cerdo con salvia y corazones de lechuga a las brasas **semana** 4, **día** 3
Crema de acederas **semana** 9, **día** 7
Crema de espárragos **semana** 9, **día** 2
Crema de grosella **semana** 1, **día** 5
Crema de lechuga **semana** 1, **día** 6
Crema inglesa **semana** 7, **día** 3
Crepa ligera con crema inglesa **semana** 1, **día** 3
Crepa ligera **semana** 7, **día** 4
Crumble de cereza **semana** 4, **día** 2
Crumble de ciruela **semana** 6, **día** 6
Crumble de durazno **semana** 9, **día** 5
Crumble de durazno y albaricoque **semana** 5, **día** 2
Crumble de frutas rojas **semana** 12, **día** 4
Crumble de higos y fresas **semana** 1, **día** 6
Crumble de pera y plátano **semana** 13, **día** 3
Crutones ligeros para acompañar la sopa **semana** 12, **día** 2
Curry de camarones **semana** 9, **día** 7
Curry de ternera **semana** 5, **día** 5
Dolce farniente **semana** 3, **día** 2
Durazno al vino **semana** 10, **día** 3
Endivias con pescado **semana** 8, **día** 1
Ensalada compuesta con jamón **semana** 9, **día** 4
Ensalada de arroz Aigues-Mortes **semana** 12, **día** 4
Ensalada de arroz **semana** 2, **día** 4
Ensalada de camarones con champiñones **semana** 9, **día** 5
Ensalada de camarones con frutas **semana** 5, **día** 3
Ensalada de cangrejo **semana** 1, **día** 5
Ensalada de espinacas **semana** 9, **día** 1
Ensalada de frutas flameada al ron **semana** 11, **día** 4
Ensalada de frutas rojas **semana** 3, **día** 5
Ensalada de hinojo con anchoas **semana** 1, **día** 6
Ensalada de huevos de codorniz **semana** 4, **día** 4
Ensalada de melón con kiwi **semana** 10, **día** 1
Ensalada de pollo a la naranja **semana** 12, **día** 6
Ensalada de tomates con *omelette* **semana** 2, **día** 6
Ensalada de tomates con queso feta **semana** 5, **día** 4
Ensalada exótica **semana** 6, **día** 3
Ensalada tibia de brócoli **semana** 8, **día** 5
Escalopa de pavo florentina **semana** 6, **día** 2
Escalopa de ternera en salsa de mostaza **semana** 4, **día** 6
Escalopa de ternera en salsa de perejil **semana** 13, **día** 2
Espagueti a la provenzal **semana** 6, **día** 6
Espagueti en salsa boloñesa **semana** 5, **día** 5
Espárragos a la vinagreta **semana** 1, **día** 2
Espinacas con zanahorias **semana** 12, **día** 5
Filete de lenguado al vino blanco **semana** 9, **día** 1
Filete de lenguado relleno **semana** 4, **día** 1

Filete de res *maître d'hotel* **semana** 3, **día** 5
Filete de rodaballo *à la dieppoise* **semana** 2, **día** 1
Filete de sardinas crudas **semana** 1, **día** 3
Flan de albaricoque **semana** 13, **día** 2
Flan de huevo **semana** 11 **día** 3
Flan de mejillones con crema de lechuga **semana** 7, **día** 1
Flan de soya **semana** 6, **día** 6
Flan de verduras **semana** 10, **día** 6
Flanes ligeros **semana** 1, **día** 1
Frambuesas al tomillo **semana** 1, **día** 5
Frambuesas al vino **semana** 9, **día** 5
Fricasé de ternera con espárragos **semana** 6, **día** 3
Frutas rojas en *mousse* de higos **semana** 12, **día** 1
Gazpacho **semana** 1, **día** 7
Granola con albaricoques **semana** 11, **día** 2
Granola con compota de castañas **semana** 3, **día** 6
Granola con melón **semana** 2, **día** 6
Granola con mermelada de albaricoque **semana** 8, **día** 5
Granola con mermelada de durazno **semana** 10, **día** 7
Granola con mermelada de ruibarbo a la naranja **semana** 6, **día** 1
Granola con queso blanco y mango **semana** 7, **día** 2
Granola, yogur y albaricoques cocidos **semana** 13, **día** 6
Granola, yogur y ciruelas cocidas **semana** 10, **día** 3
Granola, yogur y compota de frambuesas **semana** 8, **día** 3
Granola, yogur y naranja cocida **semana** 8, **día** 7
Gratín de mango a la vainilla **semana** 6, **día** 3
Grosellas (casis) al vino **semana** 5, **día** 5
Grosellas con vino **semana** 13, **día** 5
Guiso de conejo **semana** 6, **día** 7
Guiso de trigo con puerros **semana** 6, **día** 1
Hígado agridulce **semana** 8, **día** 1
Hígado con soya **semana** 13, **día** 5
Hígado de ave con manzanas **semana** 5, **día** 2
Hígado de ternera con tomate **semana** 9, **día** 5
Hinojo a la provenzal **semana** 10, **día** 2
Hojuelas de avena con manzanas **semana** 5, **día** 1
Hojuelas de avena vegetariana **semana** 13, **día** 5
Huevos al curry **semana** 13, **día** 1
Huevos *cocotte* con caviar de berenjenas **semana** 1, **día** 5
Huevos con tomate **semana** 5, **día** 4
Huevos revueltos con camarones **semana** 6, **día** 4
Jamón a la cazuela **semana** 13, **día** 3
Kissel de fresas **semana** 12, **día** 3
Lassi **semana** 12, **día** 5
Leche helada con peras **semana** 5, **día** 3
Lechuga cocida **semana** 13, **día** 1
Lechuga rellena de queso **semana** 11, **día** 4
Lija empanizada a la italiana **semana** 3, **día** 7
Lija en salsa *grelette* **semana** 2, **día** 3
Lucio en mantequilla blanca **semana** 2, **día** 2
Magret de pato con manzanas **semana** 6, **día** 6
Mantequilla de ajo **semana** 3, **día** 7
Mantequilla *maître d'hotel* **semana** 7, **día** 2
Mayonesa ligera **semana** 9, **día** 3

Mazorca de maíz con mantequilla **semana** 2, **día** 5

Medallón con almendras y pasas **semana** 9, **día** 2

Medallón con tomates **semana** 3, **día** 2

Melón al oporto **semana** 2, **día** 2

Merluza picante **semana** 1, **día** 5

Mermelada de albaricoque **semana** 9, **día** 6

Mermelada de duraznos **semana** 1, **día** 2

Mermelada de ruibarbo con naranja **semana** 4, **día** 4

Mermelada del *vieux garçon* o del oficial **semana** 12, **día** 6

Moussaka de berenjenas al tofu **semana** 5, **día** 2

Mousse de albaricoque **semana** 6, **día** 1

Mousse de champiñones **semana** 2, **día** 7

Mousse de ciruelas **semana** 12, **día** 1

Mousse de duraznos **semana** 4, **día** 1

Mousse de duraznos y albaricoques **semana** 8, **día** 7

Mousse de frutas rojas **semana** 11, **día** 2

Mousse de grosella (casis) **semana** 12, **día** 7

Mousse de pera **semana** 13, **día** 7

Olla de calamares **semana** 13, **día** 4

Omelette de alcachofas **semana** 8, **día** 3

Omelette de berros **semana** 1, **día** 4

Omelette de puntas de espárragos **semana** 9, **día** 3

Omelette de verduras **semana** 12, **día** 6

Omelette florentino **semana** 11, **día** 5

Osso buco **semana** 2, **día** 6

Pan tostado con queso Fourme d'Ambert y tomate **semana** 8, **día** 2

Panes tostados, queso blanco y compota de grosella (casis) **semana** 4, **día** 5

Pastel de albaricoques **semana** 4, **día** 3

Pastel de carne **semana** 9, **día** 6

Pastel de ciruelas **semana** 6, **día** 6

Pastel de duraznos **semana** 1, **día** 6

Pastel de hierbas **semana** 5, **día** 6

Paté de hígado con pimiento **semana** 8, **día** 5

Pepino a la griega **semana** 8, **día** 2

Pepino con arenques en escabeche **semana** 4, **día** 3

Pepino en salsa *poulette* **semana** 9, **día** 2

Pepino y pera con queso blanco **semana** 12, **día** 5

Pera flameada **semana** 11, **día** 7

Pescado en salsa roquefort **semana** 1, **día** 7

Pescado fresco con mayonesa ligera **semana** 1, **día** 5

Pichón Nevada **semana** 8, **día** 7

Pierna de cordero a la inglesa **semana** 11, **día** 7

Pizza con huevos y cebollas **semana** 3, **día** 6

Pizza de tomate **semana** 13, **día** 2

Pizza rápida **semana** 1, **día** 4

Platija en salsa de coñac **semana** 4, **día** 4

Pollo con duraznos **semana** 2, **día** 5

Pollo con los sabores de Provenza **semana** 3, **día** 3

Pollo español **semana** 12, **día** 4

Ponche 2a. versión **semana** 5, **día** 7

Puchero al minuto **semana** 4, **día** 5

Pulpa de piña y frambuesa **semana** 4, **día** 5

Pulpeta de ternera con calabaza **semana** 4, **día** 7

Queso blanco con albaricoques **semana** 7, **día** 1

Queso blanco con cacao **semana** 4, **día** 6

Queso blanco con ciruelas y plátano **semana** 8, **día** 1

Queso blanco con duraznos **semana** 2, **día** 3

Queso blanco con frutas rojas **semana** 10, **día** 5

Queso blanco con hierbas **semana** 8, **día** 2

Quesos tipo petit-suisse con cereales y albaricoque **semana** 13, **día** 4

Quesos tipo petit-suisse con cereales y ciruelas **semana** 6, **día** 6

Quesos tipo petit-suisse con cereales y duraznos **semana** 11, **día** 5

Rabo de res con rábano picante **semana** 2, **día** 7

Rape en salsa *gribiche* **semana** 5, **día** 1

Res a la melisa **semana** 6, **día** 1

Res al gratín **semana** 8, **día** 4

Res en gelatina **semana** 3, **día** 2

Res Strogonoff **semana** 5, **día** 3

Riñones de res con perejil **semana** 1, **día** 4

Rodaballo salteado con almendras **semana** 5, **día** 1

Rodaja de salmón en salsa verde **semana** 5, **día** 7

Rosbif en salsa de yogur **semana** 10, **día** 1

Salmonete con hinojo **semana** 1, **día** 1

Salmonete en crema de acedera **semana** 6, **día** 2

Salsa blanca **semana** 2, **día** 2

Salsa boloñesa **semana** 8, **día** 6

Salsa de azafrán **semana** 3, **día** 1

Salsa de coctel **semana** 8, **día** 3

Salsa de coliflor **semana** 7, **día** 5

Salsa de coñac **semana** 5, **día** 1

Salsa de crema de acedera **semana** 9, **día** 9

Salsa de eneldo **semana** 1, **día** 4

Salsa de mostaza **semana** 8, **día** 4

Salsa de naranja **semana** 11, **día** 1

Salsa de perejil **semana** 13, **día** 2

Salsa de pimienta con arándanos **semana** 11, **día** 3

Salsa de queso de cabra **semana** 3, **día** 3

Salsa de rábano picante con yogur **semana** 4, **día** 2

Salsa de tomate **semana** 11, **día** 1

Salsa *dieppoise* **semana** 6, **día** 4

Salsa española **semana** 3, **día** 4

Salsa *grelette* **semana** 2, **día** 3

Salsa *gribiche* **semana** 5, **día** 2

Salsa picante de yogur **semana** 2, **día** 5

Salsa *ravigote* **semana** 6, **día** 2

Salsa roquefort **semana** 13, **día** 3

Salsa verde **semana** 9, **día** 1

Salsifís a la provenzal **semana** 9, **día** 3

Sardinas en escabeche **semana** 9, **día** 4

Sémola con cerezas **semana** 3, **día** 3

Sémola con higos **semana** 12, **día** 5

Sémola con pasas **semana** 12, **día** 3

Sesos escalfados con alcaparras **semana** 3, **día** 4

Sopa de cerezas **semana** 12, **día** 4

Sopa de col morada **semana** 12, **día** 7

Sopa de hojas de rábano **semana** 6, **día** 5
Sopa de pimientos y champiñones **semana** 8, **día** 7
Sopa de tomate **semana** 13, **día** 7
Sopa de verduras rápida **semana** 12, **día** 2
Soufflé de espinacas **semana** 9, **día** 6
Steak bridado **semana** 4, **día** 1
Strudel de albaricoques **semana** 2, **día** 2
Strudel de cerezas **semana** 5, **día** 3
Strudel de ciruelas **semana** 7, **día** 5
Strudel de duraznos **semana** 12, **día** 7
Strudel de duraznos y albaricoques **semana** 6, **día** 7
Strudel de higo y frambuesa **semana** 10, **día** 4
Strudel de mango **semana** 9, **día** 1
Tapioca con leche **semana** 1, **día** 3
Tarta de merengue con manzanas sin pasta **semana** 13, **día** 1
Tartaleta de queso de cabra fresco, pan y puerros **semana** 1, **día** 1
Tartaleta de queso roquefort y puerros **semana** 7, **día** 4

Ternera al vapor de leche **semana** 7, **día** 1
Ternera con mízcalos y estragón **semana** 11, **día** 1
Terrina de arroz con atún **semana** 7, **día** 4
Terrina de verduras **semana** 7, **día** 4
Tomate asado supremo **semana** 7, **día** 4
Tomates con pescado **semana** 7, **día** 2
Tomates en salsa con queso **semana** 3, **día** 3
Tomates rellenos de atún y pepinillos **semana** 1, **día** 7
Tomates rellenos **semana** 3, **día** 7
Toronja con arándanos **semana** 7, **día** 7
Torrejas con frutas **semana** 13, **día** 6
Verduras en salsa de coctel **semana** 4, **día** 5
Yogur con cereales y ciruelas **semana** 3, **día** 7
Yogur con cereales y duraznos **semana** 5, **día** 7
Yogur con cereales y frutas rojas **semana** 1, **día** 4
Yogur con plátano y germen de trigo **semana** 2, **día** 7
Zanahorias a la española **semana** 6, **día** 7
Zanahorias con jamón **semana** 11, **día** 6

DEGREASER

PRODUCTO ÚNICO EN EL MERCADO

- Mantiene tu cocina libre de bacterias.
- Acaba con el mal olor que provocan las grasas y el cochambre.
- No contamina los utensilios con que cocinas.
- Súper rendidor.
- No maltrata tus manos.

¿Sabes cuán importante es la cocina en tu hogar?

Es el lugar donde cuidas la alimentación y la salud de tu familia, conquistas su corazón a través de tu delicioso sazón, aderezas cada platillo con una palabra amorosa, estrechas los lazos familiares con un infinito recetario de cariño...

¿Por qué no darle el toque impecable para que luzca hermosa?

Utiliza el mejor producto para la higiene de tu cocina: Degreaser, que la convierte en el lugar perfecto para demostrar el amor que sientes por tu familia.

STANHOME

DEGREASER

LIMPIADOR
Concentrado Quita Grasa

Rinde más de 37 LITROS
DE SOLUCIÓN LIMPIADORA DILUIDO EN AGUA

Además complementa el cuidado de tu cocina con el resto de los productos de la Línea Degreaser:

- **Oven Cleaner**
  Limpiador de hornos
- **MicroWave**
  Limpiador de hornos microondas
- **Fridge Cleaner**
  Limpiador de refrigeradores
- **Multisurface**
  Limpiador multisuperficies

Para mejores resultados sigue las instrucciones de uso que aparecen al reverso de la etiqueta